OUÇA O QUE O ESPÍRITO DIZ ÀS IGREJAS

Uma mensagem de Cristo à sua igreja

Hernandes Dias Lopes

1ª edição – novembro de 2010
5ª reimpressão: março de 2022

Revisão
Regina Aranha
Raquel Fleischner

Diagramação
Triall

Capa
Marco Bernardes

Editor
Aldo Menezes

Coordenador de produção
Mauro Terrengui

Impressão e acabamento
Imprensa da Fé

Editora Hagnos Ltda.
Av. Jacinto Júlio, 27
04815-160 — São Paulo, SP
Tel.: (11) 5668-5668

E-mail: hagnos@hagnos.com.br
Home page: www.hagnos.com.br

Editora associada à:

Dados Internacionais de Catalogação na Publicação (CIP)
(Câmara Brasileira do Livro, SP, Brasil)

Lopes, Hernandes Dias

Ouça o que o Espírito diz às Igrejas: uma mensagem de Cristo à sua igreja / Hernandes Dias Lopes. — São Paulo: Hagnos, 2010.

ISBN 978-85-63563-12-5

1. Reavivamento (Religião) – Ensino bíblico 2. Renovação da igreja 3. Vida cristã I. Título.

09-05356 CDD-222:11092

Índices para catálogo sistemático:
1. Avivamento e renovação : Cristianismo 269:2

Dedico este livro ao meu amigo e companheiro de ministério, Rev. Milton Ribeiro e sua amada esposa Mirian. Eles são amigos preciosos, conselheiros sábios, encorajadores dos santos, bênçãos de Deus em nossa vida, família e ministério.

Sumário

Prefácio

A igreja evangélica brasileira está bem, está mais ou menos e está mal. Em uma mesma congregação temos gente que anda com Deus, gente apática e gente que já abandonou as fileiras do evangelho. Em uma mesma igreja temos gente que vive e morre pela verdade e também aqueles que a negociam e a trocam por vantagens imediatas.

Estamos vivendo uma crise de integridade na igreja. Há um abismo entre o que pregamos e o que vivemos; entre o que falamos e o que praticamos. A igreja tem discurso, mas não tem vida; tem carisma, mas não tem caráter; tem influência política, mas não poder espiritual. Há uma esquizofrenia instalada em nosso meio. Tornamo-nos uma igreja ambígua e contraditória, em que o discurso mascara a vida, e a vida reprova o discurso.

Estamos vendo o florescimento de uma igreja narcisista, com síndrome de Laodiceia, pois se julga rica e abastada, mas está pobre, cega e nua. Uma igreja que aplaude e dá nota máxima a si mesma quando se olha no espelho, mas que não passa no crivo da integridade nem pode ser aprovada ao ser submetida ao teste da sã doutrina.

Estamos vendo o crescimento de uma igreja ufanista e triunfalista, que se encanta com seu próprio crescimento numérico ao mesmo tempo em que se apequena na vida espiritual. Uma igreja que explode numericamente, mas se atrofia espiritualmente. Uma igreja que tem cinco mil quilômetros de extensão, mas apenas cinco centímetros de profundidade. Uma igreja que se vangloria de produzir dezenas de bíblias de estudo, mas produz uma geração analfabeta em Bíblia.

Estamos vendo crescer em nossa nação uma igreja sem doutrina e sem ética. Uma igreja que rifa a verdade por dinheiro, que joga a ética para debaixo do tapete e, mesmo assim, vocifera palavras de ordem chamando as pessoas ao arrependimento. No passado a igreja tinha autoridade para chamar o mundo ao arrependimento. Hoje é o mundo que ordena que a igreja se arrependa. Derrubamos os muros que nos separam do mundo. Queremos ser iguais ao mundo, no tolo discurso de atraí-lo. Perdemos nossa identidade e nossa integridade. Nossa luz apagou-se debaixo do alqueire. Tornamo-nos sal sem sabor, que não presta para mais nada, senão para ser pisado pelos homens.

Estamos vendo crescer uma igreja mercado que escancara suas portas e usa a religião como fonte de lucro. Uma igreja que constrói novos templos como se abre franquias, não com o propósito de pregar a verdade, mas de granjear riquezas. Temos visto os templos se transformando em praças de negócio, os púlpitos em balcões de comércio, o evangelho em produto lucrativo e os crentes em consumidores vorazes. Temos visto igrejas se transformando em lucrativas empresas e pregadores inescrupulosos criando mecanismos heterodoxos para granjear fortunas em nome de Deus.

Estamos vendo crescer em nossa pátria uma igreja sincrética, mística que prega um outro evangelho, um evangelho diferente que, de fato, não é evangelho. Uma igreja que prega o que povo quer ouvir e não o que o povo precisa ouvir. Uma igreja que prega prosperidade, mas não salvação; que prega milagres, mas não a cruz. Uma igreja centrada no homem, e não em Deus.

Estamos vendo crescer uma igreja amante dos holofotes, embriagada pelo sucesso, sedenta de aplausos, em que seus pregadores e cantores são tratados como astros de cinema. Estamos trocando nosso direito de primogenitura por um prato de lentilhas das glórias humanas, rendendo-nos à tietagem e ao culto à personalidade, colocando homens em um pedestal, afrontando, assim, nosso único e bendito Senhor, que não divide sua glória com ninguém.

Estamos vivendo uma homérica crise de liderança. Uma das classes mais desacreditadas da nação são os pastores. Há pastores não convertidos no ministério. Há uma legião de ministros não vocacionados no ministério. Há muitos que entram para o ministério por causa do seu bônus, mas não aceitam seu ônus; querem os louvores do ministério, mas não suas cicatrizes. Há aqueles que fazem do ministério um refúgio para esconder sua preguiça e seu comodismo. Há pastores que deveriam cuidar de si mesmos antes de cuidar do rebanho de Deus. Há pastores confusos doutrinariamente no ministério, indivíduos que não sabem para onde caminham, por isso, são influenciados por todo vento de doutrina, deixando seu rebanho à mercê dos lobos travestidos de ovelhas. Há pastores que estão em pecado no ministério e já perderam a sensibilidade espiritual, pois condenam nos outros os mesmos pecados que praticam em secreto.

Estamos vivendo uma crise de valores na igreja. Abandonamos a simplicidade do evangelho. Substituímos a sã doutrina pelas novidades do mercado da fé. Trocamos a verdade pelo sucesso. Substituímos a pregação pelo espetáculo. Colocamos no lugar da oração, em que nos quebrantávamos e chorávamos pelos nossos pecados, os grandes ajuntamentos, em que saltitamos ao som estrondoso e ensurdecedor dos nossos instrumentos eletrônicos.

Precisamos desesperadamente voltar ao primeiro amor. Precisamos urgentemente de uma nova reforma na igreja. Precisamos de um reavivamento que nos traga de volta o frescor da vida abundante em Cristo Jesus. Precisamos desesperadamente do revestimento e do poder do Espírito Santo. Precisamos de uma igreja fiel que prefira a morte à apostasia. Uma igreja santa que prefira o martírio ao pecado. Uma igreja que ame a Palavra mais do que o lucro. Uma igreja que chore pelos seus pecados e pelas almas que perecem, e não pelas dificuldades da vida presente. Precisamos de uma igreja que tenha visão missionária e compaixão pelos que sofrem. Uma igreja que tenha ortodoxia e piedade, doutrina e vida, discurso e prática. Uma igreja que pregue aos ouvidos e aos olhos.

Este livro faz uma radiografia da igreja. Ele olha para o passado com o propósito de lançar luz no presente e apontar rumos para o futuro. O Senhor Jesus terminou cada carta enviada às igrejas da Ásia da mesma maneira: "Quem tem ouvidos, ouça o que o Espírito diz às igrejas". Meu ardente desejo, meu clamor diante dos céus, é que seu coração seja inflamado com essas mensagens, que você seja um graveto seco a pegar fogo e que comece a partir de você e de mim, um grande reavivamento espiritual em nossa nação!

Hernandes Dias Lopes

capítulo 1

Jesus se apresenta à sua igreja

Antes de falarmos da igreja, a noiva do Cordeiro, vamos falar do noivo. Como a igreja deve ver seu noivo? Qual é seu perfil? Quais são seus títulos? O apóstolo João menciona três títulos gloriosos de Jesus na introdução do livro de Apocalipse. Antes de enviar cartas às igrejas, Jesus se apresenta à igreja.

Em primeiro lugar, *Jesus é a fiel testemunha* (Apocalipse 1:5). Jesus foi fiel durante todo seu ministério. Nunca deixou de testemunhar sobre o Pai, mesmo na hora do sofrimento e da morte. Ele, como profeta, veio para revelar o Pai. "Eu vim para fazer a vontade do Meu Pai" (paráfrase). Jesus não apenas falou acerca da verdade, ele é a Verdade. Ele não apenas apontou o caminho, ele é o Caminho. Ele não apenas proclamou a vida, ele é a vida. Ele é o profeta e a mensagem. O sacerdote e o sacrifício. O servo é o Rei dos reis. Ele é o Verbo encarnado, o Deus feito homem em quem habitou a plenitude da divindade. Ele é a exata expressão do ser de Deus, a exegese de Deus, o Mediador entre Deus e os homens.

Em segundo lugar, *Jesus Cristo [é] o Primogênito dos Mortos* (Apocalipse 1:5). Ele foi o primeiro a ressuscitar em glória. Ele esteve morto, mas está vivo pelos séculos dos séculos. Ele morreu e foi sepultado, mas ressurgiu e está vivo para sempre. Ele é o primogênito porque é o primeiro da fila, e nós vamos logo atrás. Jesus matou a morte. Ele venceu nosso último inimigo. Uma igreja que está enfrentando o martírio precisa saber que seu Deus venceu o poder da morte. A noiva do Cordeiro não tem mais a morte à sua frente, mas atrás de si. Como sacerdote, Cristo veio ao mundo para fazer o sacrifício perfeito e para ser a oferta perfeita. Agora a morte não tem mais a última palavra. Jesus tirou o aguilhão da morte. Ele triunfou sobre ela, a matou e, em breve, a lançará no lago de fogo.

Em terceiro lugar, *Jesus [é] o Príncipe dos Reis da terra* (Apocalipse 1:5). A igreja precisa ver Jesus como o Presidente dos presidentes, diante de quem todos os poderosos vão se dobrar. Ele está assentado no trono. Ele reina absoluto sobre os céus e a terra. Ele levanta reis e destrona reis. Levanta impérios e abate impérios. Jesus está acima de Roma e dos imperadores. Ele está acima dos impérios, das nações soberbas, dos reis da terra e dos potentados que ostentam riqueza e poder. Como Rei dos reis ele veio para estabelecer seu reino que jamais terá fim.

Uma doxologia a Jesus

Como a igreja deve se posicionar diante de seu noivo? Quando João vê a glória do noivo, ele prorrompe em uma doxologia suprema, diante da suprema glória de Cristo. Sua alma desabotoa em um caudal bendito de adoração ao Cordeiro de Deus. Ele se encanta com o

Cristo que lhe é revelado. Seu coração se derrama em profunda devoção.

Por que a igreja deve adorar a Jesus?

Em primeiro lugar, *por causa de seu amor* (Apocalipse 1:4,5). Jesus "nos ama". O verbo está no presente. O amor de Cristo é algo que permanece. Ele nos amou, ainda nos ama e nos amará até o fim. Ele nos ama não por causa de nossos méritos, mas apenas por nossos deméritos. A causa de seu amor não está em nós, mas nele mesmo. Não há nada que possamos fazer para ele nos amar mais nem nada que possamos fazer para ele nos amar menos. Seu amor é infinito, eterno e incondicional. Unimos nossa voz à do poeta que escreveu: "Ainda que os mares fossem tinta, as nuvens fossem papel, as árvores fossem pena e os homens escritores, nem mesmo assim, se poderia descrever o amor de Cristo". Esse é o amor que excede todo o entendimento.

Em segundo lugar, *por causa de sua obra na cruz* (Apocalipse 1:4,5). Jesus nos libertou de nossos pecados. Isto fala de um ato de redenção concluído. Cristo comprou-nos com seu sangue (Apocalipse 5:9). A versão King James diz que ele nos lavou. Ele quebrou as amarras do pecado e nos limpou. O que é maravilhoso é que ele nos amou quando estávamos sujos e perdidos e depois nos libertou, quando éramos prisioneiros da carne, do mundo e do diabo. Vivíamos na coleira do pecado, sendo escravos do pecado, oprimidos no reino das trevas, na casa do valente, na potestade de Satanás. Fomos libertos da escravidão e limpos da mácula do pecado. Somos livres e perdoados.

Em terceiro lugar, *por causa daquilo que nos tornamos nele* (Apocalipse 1:4,5). Jesus nos constituiu reis e sacerdotes. A igreja não foi amada e libertada para nada.

A redenção cria um povo sacerdotal.[1] O alvo do amor é nos constituir reis e sacerdotes para Deus. Ele nos ama, levanta-nos da lama e, depois, coloca-nos a coroa e a mitra. Já estamos assentados com Cristo nas regiões celestiais, mas haveremos de ser corregentes com ele, pois reinaremos com ele. Somos um reino não apenas porque Cristo reina sobre nós, mas porque participamos de seu reinado. A mitra do sumo sacerdote tinha uma placa de ouro "Santidade ao Senhor'. Temos livre acesso a ele, pois somos uma raça de sacerdotes reais.

O apóstolo João recebe a mensagem que deve ser enviada às igrejas

João destaca quatro circunstâncias que marcam a recepção da mensagem que envia às igrejas:

Em primeiro lugar, *o local é identificado*. João foi banido para a ilha de Patmos, uma colônia penal romana, onde se exilavam prisioneiros políticos. Ali esses prisioneiros perdiam todos seus direitos civis e todas as posses materiais. Os prisioneiros eram obrigados a trabalhar nas minas daquela ilha, vestindo-se de trapos. A ilha ficava no Mar Egeu e tinha trinta e dois quilômetros quadrados. Era inóspita, por causa das rochas escarpadas e da constituição do solo, sendo praticamente desabitada naquele tempo.[2] Era uma ilha nua, vulcânica, com elevações de até 300 metros, usada para exilar criminosos políticos.[3] Jerônimo diz que João foi condenado no ano

---

[1] Pohl, Adolf. *Apocalipse de João. Vol. 1*. Curitiba: Esperança, 2001,p. 75.

[2] Pohl, Adolf. *Apocalipse de João*, p. 85.

[3] Ladd, George. *Apocalipse*. São Paulo, Vida Nova, 1980, p. 25.

quatorze depois de Nero, e posto em liberdade quando Domiciano morreu. Isso significa que João esteve preso em Patmos entre os anos 94 e 96 d.C.[4]

Em segundo lugar, *a razão do exílio é declarada*. João é preso na ilha de Patmos por causa da Palavra de Deus e do testemunho de Jesus Cristo (Apocalipse 1:9). Possivelmente João foi acusado de subversão pelo governador da Ásia por pregar o evangelho e por testemunhar do senhorio de Cristo, em um tempo em que o imperador Domiciano arrogava para si o título de Senhor e Deus. João foi banido na qualidade de líder das igrejas na parte ocidental da Ásia Menor. Os oficiais romanos consideravam João como o fomentador da religião cristã. João é condenado a sofrer humilhações, prisão, fome e trabalhos forçados por amor à Palavra de Deus. Simon Kistemaker, citando o historiador Eusébio, diz que, depois da morte de Domiciano, seu sucessor, Nerva, liberou João e lhe permitiu regressar a Éfeso.[5]

Em terceiro lugar, *a forma da revelação é descrita*. João achou-se em espírito. Apesar de João estar fisicamente em Patmos, naquele dia do Senhor, achou-se também em espírito (Apocalipse 1:10). A ilha do exílio transforma-se em porta do céu. Em Patmos ele enfrentou a dor do exílio, mas, em espírito, entrou na sala do trono. Em Patmos, sofremos, mas, em espírito, reinamos, diz Michael Wilcock.[6] Deus transformou nossas tragédias em triunfos gloriosos. Em Patmos João tocou o outro mundo. Não importam as circunstâncias, se você

---

[4] Barclay, William. *Apocalipsis*. Buenos Aires, La Aurora, 1975, p. 53.

[5] Kistemaker, Simon. *Apocalipse*. São Paulo: Cultura Cristã, 2004, p. 127.

[6] Wilcock, Michael. *A Mensagem de Apocalipse*. São Paulo: ABU Editora, 1986, p. 21.

está no palácio ou na favela. O todo-poderoso pode sempre nos tocar e nos levar a seu trono. O lugar do exílio tornou-se a antessala da glória.

Em quarto lugar, *a revelação é dada para ser transmitida.* João recebeu essa revelação no dia do Senhor, dia que a igreja celebra a vitória de seu Senhor sobre a morte e também o dia da esperança, que dirigia seus sentidos para a consumação e a renovação do mundo.[7] Na solidão da ilha, isolado e exilado João ouve uma voz. Roma pôde até proibir João de ter contato com seus irmãos perseguidos, mas não pôde proibi-lo de ter contato com o trono de Deus. O mundo não pode proibir nosso contato com o céu.

João ouve a voz por detrás dele, uma grande voz como de trombeta. A visão começa com uma audição. João ouviu essa voz por trás para que não fosse confundido com vozes paralelas (Isaías 30:21). A trombeta fala de uma voz sobrenatural, poderosa, assustadora. A ordem para João era clara: "Escreve em um livro o que vês" (Apocalipse 1:11). A mensagem precisa ser registrada fiel e perpetuamente. Essa ordem percorre todo o livro (Apocalipse 2:8,12; 3:1,7, 14; 10:4; 14:13; 19:9; 21:5). Isso eleva essa profecia a uma categoria normativa para toda a igreja em todos os tempos.[8] Todo o plano de Deus deve ser escrito. Apocalipse 1:19 fala de coisas passadas, presentes e futuras. O livro de Apocalipse é atual em todos os tempos. Ele descreve o que já foi, o que é e o que há de vir. A ordem também é explícita: "Envia-o às sete igrejas" (Apocalipse 1:11). Essas cidades

---

[7] Pohl, Adolf. *Apocalipse de João*, p. 86.

[8] Pohl, Adolf. *Apocalipse de João*, p. 87.

eram sedes administrativas e, por isso, áreas de concentração do culto ao imperador.[9]

A igreja é vista como a luz do mundo

Antes de ver Jesus em seu fulgor e majestade, João tem uma visão da igreja. Ele a vê como a luz do mundo (Apocalipse 1:12). Antes de ter a visão do Cristo exaltado, ele teve a visão da igreja. O mundo vê Cristo através da igreja e no meio da igreja. Isso significa que ninguém verá a Jesus em glória senão por meio de sua igreja aqui na terra. Você precisa da igreja. Precisa se congregar. O que é a igreja? Ela é a luz do mundo. Por isso, ela é comparada ao candelabro e à estrela.

João vê a igreja em duas figuras: sete estrelas e sete candelabros. Tanto a estrela como o candelabro são luzeiros. Eles devem refletir luz. A igreja é a luz do mundo. Ela resplandece no mundo. Se uma lâmpada deixasse de proporcionar luz ela era afastada (Apocalipse 2:5). A luz da igreja é emprestada ou refletida, como a da lua. Se as estrelas têm de brilhar e as lâmpadas luzir, elas devem permanecer na mão de Cristo e na presença de Cristo.[10]

Os sete candelabros são as sete igrejas, mas quem são os sete anjos (Apocalipse 1:16,20)? Anjos celestes, mensageiros, pastores ou uma figura da própria igreja? William Hendriksen pensa que anjos aqui são os pastores. Mas este livro usa a palavra *anjos* sessenta e sete vezes e em nenhuma delas refere-se a seres humanos. Assim George Ladd entende que tanto os candelabros como as estrelas

---

[9] Pohl, Adolf. *Apocalipse de João*, p. 87.

[10] Stott, John. *O que Cristo pensa da Igreja*. Campinas: United Press, 1999, p. 14.

falam da igreja como luzeiros de Deus no mundo.[11] Cristo está não apenas entre as igrejas, mas as têm em suas próprias mãos. Essas duas figuras, portanto, são um símbolo incomum para representar o caráter celestial e sobrenatural da igreja, seja por intermédio de seus membros, seja por intermédio de seus líderes.

Jesus apresenta-se em todo seu fulgor e majestade

João tem uma visão do Cristo exaltado (Apocalipse 1:13-18). Ele vê dez características distintas de Jesus em sua majestade e glória:

Em primeiro lugar, *suas vestes* (Apocalipse 1:13). Falam de Cristo como Sacerdote e Rei. Ele nos conduz a Deus e reina sobre nós. Como Sacerdote, Jesus intercede por nós; como Rei, governa sobre nós. Como Sacerdote, ele foi o ofertante e também o sacrifício. Como Rei, ele se fez servo e se humilhou até a morte de cruz para nos salvar e nos fazer assentar com ele nas regiões celestes, acima de todo principado e potestade.

Em segundo lugar, *sua cabeça* (Apocalipse 1:14). Fala de sua divindade, de sua santidade e de sua eternidade. A cabeça alva era também um símbolo de honra e transmitia a ideia de sabedoria e dignidade.[12] O noivo da igreja é o Deus bendito que se fez carne. Diante de sua santidade os próprios serafins cobrem o rosto. Ele é o Pai da eternidade, aquele que trouxe à existência os mundos estelares, e nos criou para o louvor de sua glória.

---

[11] Ladd, George. *Acapolipse*, p. 27.

[12] Rienecker, Fritz e Rogers, Cleon. *Chave Linguística do Novo Testamento Grego*. São Paulo: Edições Vida Nova, 1985, p. 606.

Em terceiro lugar, *seus olhos* (Apocalipse 1:14). Falam de sua onisciência que a tudo vê e perscruta. Ele é o juiz diante de quem tudo se desnuda. O noivo da igreja é também o juiz de vivos e de mortos, diante de quem as nações terão que comparecer. É aquele que julgará todos os homens e desnudará suas palavras, obras, omissões e pensamentos. Seu trono é trono de justiça e seu julgamento está firmado na verdade.

Em quarto lugar, *seus pés* (Apocalipse 1:15). O bronze reluzente transmitia a ideia de força e estabilidade.[13] Isso fala de sua onipotência para julgar seus inimigos. Convém que ele reine até que ponha todos seus inimigos debaixo de seus pés (1Coríntios 15:23). O noivo da igreja tem todo poder e toda autoridade nos céus e na terra. Ele tem todas as coisas debaixo de seus pés. Todas as coisas lhe estão sujeitas. Ele tem poder sobre as forças da natureza, sobre os demônios, sobre a enfermidade e sobre a própria morte. Nada escapa ao seu controle e ao seu domínio.

Em quinto lugar, *sua voz* (Apocalipse 1:15). Isso fala do poder irresistível de sua Palavra, de seu julgamento. Em seu juízo desfalecem palavras humanas. A voz de Cristo detém a última palavra e é a única a ter razão. A voz de Cristo é poderosa e irresistível. Ela despede chamas de fogo e faz tremer o deserto. Ela faz dar crias às corças e fere os montes. A voz de Cristo é soberana e irresistível. Todo o universo ouve sua voz e lhe obedece. Os ventos, os mares, os animais, os peixes, as aves dos céus, os anjos, os homens e os demônios, todos estão debaixo da autoridade de sua voz onipotente.

---

[13] RIENECKER, Fritz e ROGERS, Cleon. *Chave linguística do Novo Testamento*, p. 606.

Em sexto lugar, *suas mãos* (Apocalipse 1:16). A mão direita é a mão da ação, com a qual age e governa. Isso mostra seu cuidado com a igreja. Ninguém pode arrebatar você das mãos de Cristo (João 10:28). Suas mãos governam o universo. Nada escapa ao seu controle e ao seu domínio. Aquelas mãos que foram feridas pelos cravos, agora são as mesmas mãos que sustentam o universo, as mesmas mãos que mediram as águas dos oceanos e as mesmas mãos que amparam sua vida.

Em sétimo lugar, *sua boca* (Apocalipse 1:16). Essa espada aqui não é o evangelho, mas a Palavra do juízo. A única arma de guerra usada pelo Cristo conquistador é a espada que sai de sua boca (Apocalipse 19:5). Essa é a cena do tribunal, onde é proferida a sentença judicial, e precisamente sem contestação.

Em oitavo lugar, *seu rosto* (Apocalipse 1:16). A visão agora não é mais de um Cristo servo, perseguido, preso, esbofeteado, com o rosto cuspido, mas do Cristo cheio de glória. A luz do sol supera o brilho dos candelabros. O que João contempla aqui não é mais um rosto desfigurado, ensanguentado, mas um rosto que brilha como o sol. Agora não é mais o Cristo humilhado, mas o Cristo exaltado. Não é mais o Cristo torturado pela sede, esbordoado pelos algozes, ferido pelos soldados, mas o Cristo majestoso diante de quem todo joelho se dobra.

Em nono lugar, *sua perenidade* (Apocalipse 1:17). Jesus é o "primeiro e o último". Ele é o criador, sustentador e consumador de todas as coisas. Ele cria, controla, julga e plenifica todas as coisas. Cristo aqui é enaltecido como vitorioso sobre o último inimigo, a morte.

Em décimo lugar, *sua vitória triunfal* (Apocalipse 1:18). João está diante do Cristo da cruz, aquele que venceu a morte. Ele não apenas está vivo, mas está vivo para sempre. Ele não só ressuscitou, ele venceu a morte e tem as chaves da morte e do inferno. Morte é um estado; e, Hades, um lugar. Tanto a morte quanto o Hades serão lançados no lago do fogo no juízo final (Apocalipse 20:14). Quem tem as chaves tem autoridade.[14] Jesus recebeu do Pai toda autoridade no céu e na terra (Mateus 28:18). Jesus tem não apenas a chave do céu (Apocalipse 3:7), mas também a chave da morte (túmulo). Agora a morte não pode mais infligir terror, porque Cristo está com as chaves, podendo abrir os túmulos e levar os mortos à vida eterna.[15]

Warren Wiersbe diz que esse parágrafo pode ser sintetizado em três aspectos: 1) O que João ouviu (Apocalipse 1:9-11);2) O que João viu (Apocalipse 1:12-16) e o que João fez (Apocalipse 1:17,18).[16] Os dois primeiros pontos já foram analisados.

Vejamos agora, na conclusão, o que João fez ao ter essa gloriosa visão de Jesus, o noivo da igreja.

Em primeiro lugar, *ele passou por um profundo quebrantamento* (Apocalipse 1:18). João diz: "Quando o vi, caí a seus pés como se estivesse morto". O mesmo João que debruçara no peito de Jesus, agora cai a seus pés como morto. Isaías, Ezequiel, Daniel, Pedro e Paulo (Isaías 6:5; Ezequiel 1:28; Daniel 8:17; 10:9,11; Lucas 5:8; Atos 9:3,4) passaram pela mesma experiência ao contemplarem a glória de Deus. Em nossa carne não podemos ver a Deus, pois ele habita em luz inacessível (1Timóteo 6:16). É impossível ver a glória do Senhor sem se prostrar.

---

[14] Ladd, George. *Apocalipse*, p. 28.

[15] Ladd, George. *Apocalipse*, p. 28.

[16] Wiersbe, Warren. *The Bible Expository Commentary*. Vol. 2. 1989, p. 569-570.

Em segundo lugar, *ele foi gloriosamente restaurado* (Apocalipse 1:17). Jesus o toca e fala com ele. A mesma mão que segura (Apocalipse 1:16) é a mão que toca e restaura (Apocalipse 1:18). O mesmo Jesus que acalmou os discípulos muitas vezes, dizendo-lhes, "Não temas", agora diz a João: "Não temas". A mesma mão que sustenta as estrelas do firmamento é a mão que restaura o filho temeroso. A mão de Cristo é poderosa para sustentar o universo e suave para secar as lágrimas de nosso rosto.[17] A revelação da graça de Jesus põe o apóstolo João de pé novamente para cumprir seu ministério. Dessa maneira não precisamos temer a vida porque Jesus é aquele que está vivo pelos séculos dos séculos. Não precisamos temer a morte porque Jesus é aquele que morreu, mas ressuscitou e venceu a morte. Não precisamos temer a eternidade, porque Jesus tem as chaves da morte e do inferno.[18]

Warren Wiersbe, corretamente comenta,

> Desde o início do livro de Apocalipse, Jesus apresentou-se ao seu povo em majestade e glória. O que a igreja necessita hoje é uma clara percepção de Cristo e sua glória. Necessitamos vê-lo exaltado em seu alto e sublime trono. Há uma perigosa ausência de admiração reverente e adoração em nossas assembleias hoje. Orgulhamo-nos de levantarmo-nos sobre nossos próprios pés, em vez de cairmos com o rosto em terra diante de seus pés. Por anos, Evan Roberts orou: "Dobra-me! Dobra-me, Senhor!" e quando Deus respondeu, o grande avivamento galês aconteceu.[19]

---

[17] Barclay, William. *Apocalipsis*, p. 63.
[18] Barclay, William. *Apocalipsis*, p. 570.
[19] Barclay, William. *Apocalipsis*, p. 570.

capítulo 2

Jesus conhece profundamente sua igreja

Antes de Jesus manifestar seu juízo ao mundo, ele manifestou-o à sua igreja (1Pedro 4:17); por isso, Jesus mostrou seu julgamento às sete igrejas (Apocalipse 1—3) antes de mostrá-lo ao mundo (Apocalipse 4—22).[1] Todas as cartas enviadas às sete igrejas têm basicamente a mesma estrutura: apresentação, apreciação, reprovação e promessas.

Duas igrejas só receberam elogios: Esmirna e Filadélfia; quatro igrejas receberam elogios e críticas: Éfeso, Pérgamo, Tiatira e Sardes; uma igreja só recebeu críticas: Laodiceia.[2] William Hendriksen diz que a opinião de que essas sete igrejas representam sete períodos sucessivos da história da igreja é uma interpretação lamentável.[3] Já deixamos esse ponto claro no capítulo anterior.

Essas sete igrejas da Ásia Menor ensinam-nos várias lições:

---

[1] Wiersbe, Warren. *With the Word.* Nashville, TN: Thomas Nelson Publishers, 1991, p. 847.

[2] Hendriksen, William. *Mas que Vencedores.* 1965, p. 68.

[3] Hendriksen, William. *Mas que Vencedores*, p. 68.

Jesus é conhecido na igreja e através da igreja

Antes de ver Cristo, João viu os sete candelabros, a plenitude da igreja na terra, e só depois viu o Cristo glorificado na igreja (Apocalipse 1:12,13). William Hendriksen diz que essas sete igrejas representam a igreja inteira através de toda esta dispensação.[4] Jesus Cristo está no meio de sua igreja. Ninguém verá o Cristo da glória fora da igreja. A salvação é por meio de Jesus, mas ninguém poderá ser salvo sem fazer parte da Igreja que é a noiva do Cordeiro.

Cristo valoriza tanto sua igreja que ele se dá a conhecer no meio dela e não à parte dela. Hoje, muitas pessoas querem Cristo, mas não a igreja. Isso é impossível. A Igreja é o corpo de Cristo, e Cristo é o cabeça da Igreja. A Igreja é a noiva de Cristo, e a atenção de Cristo está voltada para sua noiva. Ela ocupa o centro de sua atenção, de seu amor e de seu cuidado providente.

Jesus está no meio da igreja como remédio para seus males

Cristo não apenas está no meio da igreja (Apocalipse 1:13), mas ele está andando, em ação investigatória, no meio da igreja (Apocalipse 2:1). Ele sonda a igreja, pois seus olhos são como chama de fogo (Apocalipse 2:18).

Há muitos males que atacam a igreja: esfriamento, perseguição, heresia, imoralidade, presunção e apatia.

---

[4] HENDRIKSEN, William. *Mas que Vencedores,* p. 57.

Mas Cristo se apresenta para cada igreja como o remédio para seu mal.

Para a igreja de Éfeso que havia perdido seu primeiro amor, Jesus se apresenta como aquele que anda no meio da igreja, segurando a liderança na mão, como seu pastor superior. Ele está dizendo: "Eu vejo tudo e conheço tudo".

Para a igreja de Esmirna que estava passando por sofrimento, perseguição e morte, enfrentando o martírio, Jesus se apresenta como aquele que morreu e tornou a viver. O Jesus que venceu a morte é o remédio para alguém que está enfrentando a perseguição e a morte.

Para a igreja de Pérgamo que estava se misturando com o mundo e perdendo o senso da verdade, Jesus se apresenta como aquele que tem a espada afiada de dois gumes, que exerce juízo e separa a verdade do engano. Pérgamo estava em conflito entre a verdade e o engano (Apocalipse 2:14).

Para a igreja de Tiatira que estava tolerando a impureza e caindo em imoralidade, Jesus se apresenta como aquele que tem os olhos como chama de fogo, que tudo sonda e conhece, e os pés semelhantes ao bronze polido que é poderoso para julgar e vencer os inimigos.

Para a igreja de Sardes que tinha a fama de ser uma igreja viva, mas estava morta, Jesus se revela como aquele que tem os sete espíritos de Deus, a plenitude do Espírito, o único que pode dar vida a uma igreja morta. A igreja tinha fama, mas não realidade, tinha aparência de vida, mas estava morta.

Para a igreja de Filadélfia, uma igreja que tinha pouca força, mas era fiel, Jesus vê muitas oportunidades à sua frente e diz para ela que ele tem a chave de Davi, que abre, e ninguém fechará, e que fecha, e ninguém abrirá.

Para a igreja de Laodiceia, uma igreja sem fervor espiritual, morna, rica financeiramente, mas pobre espiritualmente, Jesus se apresenta como aquele que é constante e fidedigno no meio de tantas mudanças.

Dentro da mesma igreja há pessoas fiéis e infiéis

Sempre que as pessoas me perguntam: "Como vai a igreja?", respondo: "A igreja vai bem, vai mais ou menos e vai mal". Dentro da mesma igreja você tem gente cheia do Espírito Santo, gente que está estagnada espiritualmente e gente que já está retrocedendo na fé. Em uma mesma igreja, você tem diversas temperaturas espirituais. Em Éfeso, havia fidelidade na doutrina, mas falta de amor na prática do cristianismo. Eram ortodoxos de cabeça e hereges na conduta (Apocalipse 2:4). É possível uma igreja ser ortodoxa e, ao mesmo tempo, estar árida como um deserto. A ortodoxia morta mata. Em Pérgamo, enquanto havia gente disposta a morrer por Cristo, alguns crentes estavam seguindo a doutrina de Balaão (Apocalipse 2:14,15). Em uma mesma igreja há gente fiel às Escrituras, disposta a sofrer por Cristo e gente que transige com a sã doutrina, que se entrega às novidades do mercado da fé e que se desvia da verdade. Em Tiatira havia tolerância aos ensinos e às práticas de uma profetisa imoral (Apocalipse 2:20), mas nem todos os crentes caíram nessa heresia perniciosa (Apocalipse 2:24-25). A igreja de Tiatira era o contrário da igreja de Éfeso. Em Éfeso havia doutrina sem amor; em Tiatira havia amor sem doutrina. Ambas as posições estão fora do propósito de Deus, pois não podemos separar o que Deus uniu. A ortodoxia precisa andar de mãos dadas com a piedade. A verdade e o amor precisam caminhar lado a lado. Em Sardes, embora a igreja estivesse vivendo de aparência, havia uns poucos que não haviam contaminado suas vestiduras (Apocalipse 3:4). Enquanto uns já estavam mortos e outros no centro de terapia intensiva, à beira da morte, outros mais mantinham-se íntegros, puros e incontaminados.

A igreja ainda hoje tem os mesmos tipos de pessoas. Dentro de uma mesma congregação, há crentes firmes na fé e outros que claudicam na fé. Há aqueles que combatem a heresia e não suportam os falsos mestres, mas perdem o amor; e também há aqueles que, em nome do amor, toleram a falsa doutrina e desviam-se da verdade. Há igrejas cuja aparência é bela e cujo desempenho aos olhos humanos é formidável, mas elas não passam no crivo de Jesus. Precisamos nos acautelar, pois nem tudo que é belo aos olhos dos homens é aceitável diante de Deus. Nem tudo que impressiona os homens é agradável a Deus. O homem vê a aparência; e Deus, o coração. O homem se contenta com o exterior, Deus requer a verdade no íntimo.

A igreja nem sempre é aquilo que aparenta ser

Jesus conhece a igreja de forma profunda e não apenas superficialmente como nós (Apocalipse 2:2,9,13,19; 3:1,8,15). Ele conhece as obras da igreja, onde está a igreja e o que ela está enfrentando, e isso, em todo tempo e em todo lugar.

A igreja de Éfeso era ortodoxa, trabalhadora, fiel nas provas, mas perdera sua capacidade de amar a Jesus. Ela era como uma esposa que não trai o marido, mas também não lhe devota amor (Apocalipse 2:2-4). A ortodoxia é boa, ela é o melhor para nós. Não podemos negociar a verdade nem transigir com os absolutos de Deus. Precisamos rechaçar com toda veemência a falsa doutrina e rejeitar os falsos mestres. A heresia é um veneno mortal e ela não pode ter acolhida na igreja, mesmo quando vem disfarçada de uma boa novidade. Não podemos aceitar um outro evangelho. Toda mensagem que não vier fundamentada na mesma verdade pregada pelos apóstolos deve ser anátema. No entanto, só a ortodoxia não basta. Precisamos também de amor. A ortodoxia não pode ser desatrelada da piedade. Precisamos ter luz na mente e fogo no coração. Preciso conhecer a verdade e conhecer a intimidade de Deus. Doutrina é a base da vida e a vida é o ornamento da doutrina.

A igreja de Esmirna era pobre aos olhos dos homens, mas rica aos olhos de Cristo (Apocalipse 2:9). Ele não tinha ouro nem prata na terra, mas tinha tesouros no céu. Ele não tinha nada, mas possuía tudo; era desprovido de bens, mas enriquecia a muitos. A grandeza de uma igreja não deve ser avaliada pela suntuosidade de seu templo nem pela pujança de seu orçamento. Uma igreja não é grande porque tem muitos membros nem porque eles são influentes na sociedade. Esmirna era uma igreja formada por escravos, mas era rica aos olhos de Deus. A viúva pobre deu apenas duas pequenas moedas, mas, aos olhos de Cristo, deu mais do que as ricas ofertas dos ricos. A verdadeira riqueza não é material, mas espiritual.

A igreja de Pérgamo tinha gente tão comprometida com Deus a ponto de chegarem a ser martirizados (Apocalipse 2:13), mas tinha também, gente que caía diante da sedução do pecado (Apocalipse 2:14). Tiatira, ao contrário de Éfeso, tinha amor, mas não a doutrina; era operosa, mas não fiel. Estava aberta às pessoas e também ao pecado. Tiatira foi reprovada por Jesus pelo fato de tolerar os falsos mestres e a falsa doutrina. A profetisa Jezabel estava perturbando a igreja e pervertendo a verdade. Estava induzindo os incautos à imoralidade. Doutrina e vida caminham de mãos dadas. Quando uma igreja transige com a verdade, também claudicará na ética. A teologia é mãe da ética. A teologia é a fonte; e a ética, o fluxo que corre dessa fonte. Uma igreja que se desvia da verdade, certamente, cairá na devassidão.

A igreja de Tiatira estava trabalhando mais do que trabalhara no início de sua carreira (Apocalipse 2:19), mas muito trabalho sem vigilância também não agrada a Jesus. Ação sem zelo doutrinário (Tiatira) e zelo doutrinário sem ação (Éfeso) não agradam a Jesus. Não podemos separar o que Deus uniu. Não podemos separar a academia da piedade nem a doutrina da vida. A teologia e a ética são irmãs gêmeas, precisam andar sempre juntas.

A igreja de Sardes tinha reputação de uma igreja viva, mas estava morta (Apocalipse 3:1). Além disso, havia gente no Centro de Terapia Intensiva, à beira da morte espiritual (Apocalipse 3:2). Não podemos confundir ajuntamento solene com atitude espiritual. Nem sempre uma grande multidão representa a legítima expressão de devoção espiritual. Nem toda expressão de entusiasmo religioso é resultado de avivamento espiritual. Sardes parecia ser uma igreja viva, mas estava morta. Aos olhos dos homens, era uma igreja entusiasmada, mas, aos olhos de Cristo, estava em estado de coma espiritual. Aquilo que impressiona os homens não impressiona a Deus. Hoje vemos muito ajuntamento e pouco quebrantamento; muito trovão e pouca chuva; muito do homem e pouco de Deus.

A igreja de Filadélfia era fraca diante dos olhos humanos, mas poderosa aos olhos de Cristo (Apocalipse 3:8,9). Ela tinha pouca força, mas o Senhor colocou diante dela uma porta aberta. A porta que Deus abre ninguém pode fechar, e a porta que Deus fecha ninguém pode abrir. É Cristo quem conduz sua igreja em triunfo. A igreja avança não porque é forte, mas porque Deus a fortalece. Ela triunfa não estribada na força do braço da carne, mas na força do Onipotente. Não é por força nem por poder, mas pelo Espírito de Deus que a igreja caminha e vence.

A igreja de Laodiceia considerava-se rica e abastada, mas, aos olhos de Cristo, era uma igreja pobre e miserável (Apocalipse 3:17). A única coisa boa que a igreja de Laodiceia possuía era a opinião que ela tinha de si mesma. Era uma igreja narcisista, soberba, ensimesmada. Ela aplaudia a si mesma e tocava trombeta para anunciar seus próprios feitos. Cantava com grande entusiasmo o hino: "Quão grande és tu", diante do espelho. Todavia, a avaliação de Jesus era diametralmente oposta. Jesus não se impressionou com a nota máxima que Laodiceia deu a si mesma. O diagnóstico de Jesus revelou não um saldo positivo, mas negativo. Laodiceia era pobre, cega e nua. Ela tinha abundância do homem, mas era vazia de Deus. Tinha os recursos da terra, mas não os do céu. Vestia-se garbosamente com as melhores roupas da terra, mas estava nua aos olhos de Cristo. Ostentava ouro e riqueza diante dos homens, mas estava completamente desprovida das riquezas celestiais. O que é importante não é ser rico aos olhos dos homens, mas ser rico para Deus. O importante não é acumular tesouros na terra, mas ajuntar tesouros no céu. O importante não é o ter, mas o ser.

Jesus anda no meio da igreja para oferecer-lhe oportunidade de arrependimento antes de aplicar-lhe o juízo

A igreja de Éfeso foi chamada a lembrar-se, a arrepender-se e a voltar à prática das primeiras obras. Caso esse expediente não fosse tomado, Jesus sentencia: "Se não te arrependeres, logo virei contra ti e tirarei o teu candelabro do seu lugar" (Apocalipse 2:5). Jesus não apenas diagnostica a doença da igreja, mas também lhe oferece o remédio eficaz. A igreja precisava reavivar sua memória, mudar sua mente e sua atitude. Não basta reconhecer o erro nem mesmo sentir tristeza por ele; é preciso voltar as costas ao pecado e a face para Deus em uma demonstração sincera de arrependimento. É preciso voltar às primeiras obras. É preciso resgatar o que se perdeu. É preciso voltar à simplicidade do cristianismo sem as sofisticações que agregamos na caminhada rumo ao céu. A ordem de Jesus é arrepender e viver ou não se arrepender e morrer. O arrependimento produz vida; e a desobediência, morte. A falta de arrependimento apagou a lâmpada da igreja de Éfeso, e a mesma cidade que experimentara um poderoso avivamento no passado, agora jaz mergulhada em um caudal de trevas e obscurantismo.

A igreja de Esmirna diante do martírio é exortada a ser fiel até a morte (Apocalipse 2:10). Não é apenas fidelidade até o último instante da vida, mas, sobretudo, fidelidade até às últimas consequências. Devemos não apenas viver pela fé, mas, se preciso for, devemos estar prontos para morrer pela fé. O martírio pode ser o cálice amargo que precisaremos beber. Em 1995 visitei a Coreia do Sul para pesquisar sobre o crescimento da igreja coreana. O que mais marcou minha vida foi visitar o museu dos mártires. Ali vi centenas de quadros de pastores, missionários, homens, mulheres e até crianças que morreram pela sua fé. Muitos foram degolados. Outros foram torturados. Ainda outros foram queimados vivos dentro de seus templos. Um quadro, porém, chamou-me a atenção. Ele estava dependurado na parede exatamente na saída do museu. A porta de saída é estreita e só passa uma pessoa por vez. Notava que todas as pessoas que passavam na frente daquele quadro saíam com lágrimas nos olhos. Desejei ardentemente conhecer a história daquele mártir. Ao me aproximar do quadro, meu coração bateu mais forte. Queria ler um pouco acerca daquele personagem que fechava aquela peregrinação naquele museu. Quando fiquei em frente ao quadro e olhei para ele, não pude conter as lágrimas. Ali não estava uma fotografia, mas um espelho. Contemplei o meu próprio rosto e uma frase estava em destaque: "Você pode ser o próximo mártir". Pude entender, imediatamente as palavras de Jesus: "Sê fiel até a morte, e eu te darei a coroa da vida" (Apocalipse 2:10).

A igreja de Pérgamo estava dividida entre a verdade e o engano, misturada com o mundo, então Jesus a adverte: "Portanto, arrepende-te! Se não te arrependeres, logo virei contra ti e lutarei contra eles com a espada da minha boca" (Apocalipse 2:16). Pérgamo era o lugar onde estava o trono de Satanás. Ali ficava o centro do culto a

Esculápio, o deus serpente, símbolo até hoje da medicina. A igreja estava sendo influenciada pela cultura a sua volta mais do que influenciando seu meio. O mundo estava na igreja mais do que a igreja no mundo. Vivemos, ainda hoje, essa dolorosa realidade, a realidade de uma igreja mundana. Os crentes hoje frequentam os mesmos ambientes, ouvem e veem as mesmas coisas que aqueles que não temem a Deus. Os crentes estão absorvendo de tal maneira a cultura à sua volta que não são mais diferentes nem fazem diferença. A igreja evangélica brasileira cresce espantosamente. Os ufanistas dizem que dentro de algumas décadas seremos a maioria no Brasil. Mas, não obstante o crescimento da igreja, a sociedade não muda, pois somos como o sal que perdeu o sabor ou como a luz debaixo do alqueire. Precisamos de uma igreja santa, uma igreja que esteja no mundo, mas não viva como o mundo. Pérgamo não é apenas um emblema do passado, mas, sobretudo, um alerta ao presente.

A igreja de Tiatira abria suas portas a uma desregrada profetisa chamada Jezabel. Jesus chama ao arrependimento a faltosa (Apocalipse 2:21), mas, por ela se recusar a ouvi-lo, Jesus envia a ela seu juízo (Apocalipse 2:22,23) e chama os crentes fiéis a permanecerem firmes até a segunda vinda (Apocalipse 2:24,25). A igreja de Tiatira era contaminada pela falsa doutrina. Não era uma igreja criteriosa acerca da verdade. Cedia seu púlpito sem qualquer critério àqueles que se diziam crentes, mas apresentavam falsos ensinos. Essa é também uma dolorosa realidade na igreja contemporânea. Multiplicam-se os falsos mestres e abundam as igrejas que abrem suas portas e franquiam seus púlpitos a aventureiros descomprometidos com a sã doutrina. Somos uma igreja analfabeta na Palavra. Temos extensão, mas não temos profundidade. Temos muitos espetáculos grandiosos, mas não temos a Palavra. Temos muitos atores no palco, mas poucos pregadores fiéis nos púlpitos. Estamos precisando de uma nova reforma na igreja, uma reforma que traga de volta o povo de Deus à Palavra.

Há muitas crendices no meio evangélico. As pessoas que são libertas do paganismo e deixam para trás seu misticismo tosco tornam-se prisioneiras de outras crendices nos redutos chamados evangélicos. Mantemos as pessoas prisioneiras de práticas absolutamente estranhas às Escrituras. Somos uma igreja que avilta a eficácia do sacrifício perfeito e completo de Cristo. Assistimos ao florescimento da igreja do sal grosso, do óleo ungido, do copo de água em cima do rádio. Vemos crescer a igreja das campanhas, das novenas; a igreja que busca sofregamente os milagres e a prosperidade, mas não se deleita na salvação em Cristo Jesus.

Vemos uma igreja que desengaveta as indulgências da Idade Média e vende a graça por dinheiro. Vemos multiplicar no Brasil igrejas que parecem mais empresas particulares, que abrem franquias como se abre uma loja comercial. Igrejas que fazem do evangelho um produto lucrativo e transformam os crentes em consumidores vorazes para abastecer os cofres de pregadores inescrupulosos. O evangelho da graça está sendo atacado. O cristianismo apostólico está sendo vilipendiado. Precisamos de uma nova reforma!

A igreja de Sardes recebe o alerta de Cristo de que suas obras não eram íntegras diante de Deus (Apocalipse 3:2). Jesus alerta-os ao arrependimento (Apocalipse 3:3). Caso a igreja não se arrependa, virá o juízo (Apocalipse 3:3). Na igreja de Sardes faltava a integridade e a coerência. Eles tinham fachada, desempenho, aparência, mas a realidade era absolutamente outra. Sardes fazia uma propaganda enganosa de si mesma. Ela tinha uma avaliação distorcida a seu respeito. Eles se diziam uma igreja avivada, mas estavam mortos. Eles davam nota máxima a si mesmos, mas não eram íntegros. Esse é o problema ainda hoje. Há muitos que pensam que barulho é sinônimo de espiritualidade. Há muitos que confundem emocionalismo histérico com piedade. Não basta ter carisma sem caráter. Jesus não se impressiona com aquilo que impressiona os homens. Deus não vê a aparência; ele vê o coração. Ele quer verdade no íntimo.

A maior crise da igreja contemporânea é a crise de integridade. Gente que tem suas vestes contaminadas. Gente que usa o manto da fé cristã para esconder seus pecados vis. Gente que se apresenta como crente, mas tem um testemunho sofrível na sociedade. Gente que fala uma coisa e vive outra. Há hoje um grande abismo entre o que a igreja prega e o que ela vive, entre o que os crentes falam e o que eles praticam. Precisamos de menos verborragia e mais vida; menos discursos e mais ética; menos promessas e mais frutos!

A igreja de Filadélfia é exortada a conservar o que tem para que ninguém tome sua coroa (Apocalipse 3:11). A igreja de Filadélfia era fraca aos olhos dos homens, mas era um poderoso instrumento nas mãos de Jesus, pois foi o próprio Senhor quem colocou diante dela uma porta aberta. Quanto a essa igreja, Jesus a alerta para conservar os valores, a verdade recebida para que seu galardão não lhe fosse tirado. Precisamos de vigilância, pois vivemos um tempo perigoso. São muitas as coisas que nos distraem e nos seduzem. Corremos o risco de perdemos nossas dracmas dentro de casa. Corremos o risco de nos desviarmos do caminho e sermos saqueados.

A igreja de Laodiceia é exortada a olhar para a vida na perspectiva de Cristo e arrepender-se (Apocalipse 3:17,18), entendendo que a disciplina de Deus é ato de amor (Apocalipse 3:19). Laodiceia era uma igreja cheia de si e vazia de Deus. Rica de bens materiais e pobre de riquezas espirituais. Uma igreja cujos membros vestiam-se garbosamente, mas andavam nus espiritualmente. Laodiceia ostentava uma vida glamorosa no mundo. Eles desfrutavam o melhor do mundo, mas toda essa pompa não passava de trapos aos olhos de Cristo. Abundância de ouro, vestidos caros e requinte humano não têm nenhum valor aos olhos de Cristo. Jesus exortou essa igreja a arrepender-se. A verdade nem sempre está do lado do luxo. A riqueza em si não é prova da bênção de Deus. Laodiceia era rica e abastada, mas paupérrima espiritualmente. A teologia da prosperidade é uma falácia. Aqueles que querem ficar ricos caem em tentação e em uma cilada, além de atormentarem sua alma com muitos flagelos. No entanto, a piedade com contentamento é grande fonte de lucro. Não devemos ajuntar tesouros terra, mas no céu.

Jesus anda no meio da igreja para dar gloriosas promessas aos vencedores

Os vencedores são aqueles cujos nomes estão escritos no livro da vida. Esses pertencem à igreja invisível, à igreja dos primogênitos. Esses são os que entrarão na cidade pela porta e desfrutarão da bem-aventurança eterna. Isso implica que nem todos os membros da igreja visível são membros da igreja invisível. Nem todos os membros das igrejas locais são membros do corpo de Cristo. Nem todos os membros de igreja são vencedores, mas todos os membros do Corpo de Cristo são vencedores.

As promessas aos vencedores tratam da bênção que a igreja estava buscando ou necessitando:

A igreja de Éfeso – o vencedor se alimenta da árvore da vida. Isso é ter a vida eterna (Apocalipse 2:7). A vida eterna é comunhão com Deus, e Deus é amor. Eles haviam abandonado seu primeiro amor, mas os vencedores morariam no céu, onde o ambiente é amor, pois isso representa ter comunhão eterna com o Deus que é amor. Jesus sabe distinguir dentro de uma igreja aqueles que são seus. Ele sabe separar as ovelhas dos cabritos. Ele conhece aqueles que foram selados com o Santo Espírito da promessa e têm seus nomes escritos no livro da vida. Não basta ser membro de uma igreja. Não basta receber os sacramentos e ser conhecido na terra. É preciso ser um vencedor, conhecido no céu!

A igreja de Esmirna – o vencedor de modo nenhum sofrerá o dano da segunda morte (Apocalipse 2:11). Os imperadores romanos, os déspotas e o anticristo podem até matar os crentes, mas estes jamais enfrentarão a morte eterna. Jesus está mostrando que não devemos ter medo dos homens. Mesmo que nosso sangue seja derramado; mesmo que selemos nossa fé com nosso sangue; mesmo que os homens nos despojem de todos nossos bens; mesmo que eles nos tirem nossa família e até nossa vida, eles jamais poderão nos roubar a vida eterna. A salvação é uma dádiva de Deus que jamais poderá ser tirada de nós. Essa salvação é o melhor tesouro, é a pérola de grande valor.

A igreja de Pérgamo – o vencedor receberá o maná escondido, uma pedrinha branca, “na qual está escrito um novo nome que ninguém conhece, a não ser aquele que o recebe" (Apocalipse 2:17). Para uma igreja que se misturava com o mundo, o vencedor recebe a promessa de absolvição no juízo, e não de condenação com o mundo. Aqueles que amam o mundo, são amigos do mundo,conformam-se com o mundo e, portanto, serão julgados e condenados com o mundo; mas aqueles que são íntegros e fiéis a Deus, mesmo vivendo no mundo, recebem perdão, absolvição. Não há nenhuma condenação para aqueles que estão em Cristo Jesus. Fomos justificados. Nossa dívida foi paga. Nosso débito cancelado. Jesus morreu nossa morte e nos deu sua vida. Todos os méritos de Cristo já estão depositados em nossa conta. No dia do juízo, receberemos o maná escondido, e Jesus será para nós nosso alimento e deleite por toda a eternidade. Receberemos a pedrinha branca, dizendo-nos que em virtude dos méritos de Cristo somos aceitos no reino celestial. Receberemos um novo nome, pois pertenceremos à família de Deus, seremos herdeiros de Deus e entraremos na cidade santa pelas portas!

A igreja de Tiatira – para uma igreja seduzida pelo engano de uma profetisa, o vencedor recebe a promessa de receber autoridade sobre as nações e possuir não os encantos do pecado, mas o Senhor da glória, a estrela da manhã (Apocalipse 2:26,28). O diabo é um embusteiro; e o pecado, uma fraude. Promete prazer e paga com desgosto. Promete liberdade e escraviza. Promete vida e mata. O pecado não compensa, seu salário é a morte. O pecado lhe custará mais caro do que você deseja pagar; ele o prenderá por mais tempo do que você deseja ficar preso e lhe trará mais dores do que você pode suportar. Aqueles que rasgam a cara em gargalhas nos prazeres do pecado, estarão, em breve, em tormento, chorando e gemendo. A promoção do pecado é a decadência. As glórias do pecado são o opróbrio. Os ganhos do pecado são pura perda. Todavia, aqueles que resistem ao pecado e se tornam vencedores são promovidos aqui e na eternidade. Deus mesmo é sua melhor recompensa. Quem tem Deus, tem tudo. Quem tem tudo, mas não tem Deus, nada tem.

A igreja de Sardes – para uma igreja que só vive de aparência, mas está morta, os vencedores recebem a promessa de que seus nomes estarão no livro da vida e seus nomes serão confessados diante do Pai no dia do juízo (Apocalipse 3:5). Não é suficiente ter o nome do rol de membros de uma igreja, por mais conceituada e santa que ela seja. O novo nascimento é uma experiência pessoal e insubstituível. Ninguém pode nos representar. Não podemos entrar no céu com procuração. Ter o nome no livro da vida significa ter garantia de vida eterna. Não basta ter o nome de crente, é preciso ser crente. Não basta aparência de santidade, é preciso santidade. Não basta parecer vivo, é preciso estar vivo. Não basta parecer salvo, é preciso estar salvo. Não basta ter nosso nome confessado diante dos homens, precisamos tê-lo confessado diante do Pai. Não basta ser conhecido na terra, precisamos ser conhecidos no céu.

A igreja de Filadélfia – para uma igreja fraca, mas fiel, o vencedor recebe a promessa de ser coluna do santuário de Deus (Apocalipse 3:12). A coluna é que sustenta o santuário. Eles podem ser fracos diante dos homens, mas são poderosos e fortes diante de Deus. Os vencedores não são os fortes e poderosos deste mundo, mas aqueles, que embora fracos aqui, serão colunas no reino celestial. Os vencedores podem ter sido desprezados aqui, mas serão enaltecidos na glória. Os vencedores poderão ter sido escravos aqui, mas reinarão com Cristo na glória.

A igreja de Laodiceia – para uma igreja que se considerava rica e autossuficiente, mas era pobre e miserável, o vencedor recebe a promessa de assentar-se com Cristo em seu trono (Apocalipse 3:21). Os tronos da terra nada são diante do trono de Cristo. Os tronos dos poderosos deste mundo perecem, mas o trono de Cristo é eterno. Os reinos deste mundo passam, mas o reino de Cristo é eterno. As glórias deste mundo passam, mas as glórias que nos esperam no reino celestial serão permanentes. Mais importante do que ser rico aqui, é assentar-se com Cristo em seu trono. As riquezas do céu são mais preciosas do que as riquezas da terra, e as glórias do porvir são melhores do que as glórias daqui.

Para todas as igrejas há um refrão: "Quem tem ouvidos, ouça o que o Espírito diz às igrejas". Precisamos ouvir o que Deus está falando conosco. A bem-aventurança não é apenas ler e ouvir, mas também obedecer às profecias do livro sagrado, a Bíblia (Apocalipse 1:3).

Chegou a hora de lermos as mensagens enviadas por Cristo às igrejas da Ásia. Essas mensagens não são apenas cartas antigas, dirigidas a igrejas antigas. São também — e sobretudo — mensagens atuais, dirigidas às igrejas contemporâneas. Precisamos inclinar nossos ouvidos e abrir nosso coração para darmos guarida a essas mensagens. Os tempos mudaram, mas a mensagem é a mesma. Os tempos mudaram, mas o remetente, Cristo, é o mesmo. Os tempos mudaram, mas as igrejas, embora em uma época, em lugares e contextos diferentes, são as mesmas. Essas mensagens de Cristo são para você e para mim. Elas são atuais, oportunas e urgentes. Cabe a nós ouvi-las e obedecer a elas!

capítulo 3

A mensagem de Jesus à igreja de Éfeso (Apocalipse 2:1-7)

Éfeso era a maior, mais rica e mais importante cidade da Ásia Menor. Era chamada "a feira das vaidades" do mundo antigo.[1] Um escritor romano a chamou: "a luz da Ásia".[2] A cidade tinha uma população estimada em mais de duzentas mil pessoas. Os efésios construíram um teatro que podia oferecer assento para cerca de 24 mil pessoas.[3]

Em Éfeso, ficava o mais importante porto da Ásia Menor.[4] Para todos os que desejavam viajar para algum lugar da Ásia, Éfeso era a entrada obrigatória. Mais tarde, quando muitos mártires foram capturados na Ásia e levados a Roma para ser lançados aos leões, Inácio rebatizou Éfeso de "a porta dos mártires".[5]

---

[1] Barclay, William. *Apocalipsis*, p. 70

[2] Barclay, William. *Apocalipsis*, p. 70.

[3] Kistemaker, Simon. *Apocalipse,* p. 148.

[4] Ladd, George. *Apocalipse,* p. 30.

[5] Barclay, William. *Apocalipsis,* p. 70.

Éfeso era o centro do culto a Diana (Atos 19:35), cujo templo jônico era uma das sete maravilhas do mundo antigo.[6] Nesse templo, havia centenas de sacerdotisas que funcionavam como prostitutas sagradas. Tudo isso fazia de Éfeso uma cidade sobremodo imoral.[7] Simon Kistemaker, citando o filósofo grego Heráclito, diz que a moral do templo era pior que a moral dos animais, pois nem mesmo os cães promíscuos mutilavam uns aos outros.[8] Era uma cidade mística, cheia de superstição e também um dos centros do culto ao imperador.

Na cidade de Éfeso imperava o misticismo, a idolatria, a imoralidade e a perseguição. Naquela cidade, como hoje, o diabo usou duas táticas: perseguição e sedução; oposição e ecumenismo.

Paulo visitou a cidade de Éfeso no final da segunda viagem missionária, por volta do ano 52 d.C. Em sua terceira viagem, permaneceu em Éfeso três anos. Houve alguns sinais de avivamento na cidade de Éfeso: as pessoas ao ouvirem o evangelho vinham denunciando publicamente suas obras; as pessoas que se convertiam rompiam totalmente com o ocultismo, queimando seus livros mágicos; o evangelho espalhou-se dali por toda a Ásia Menor (Atos 19:1-20).

Durante sua primeira prisão em Roma, Paulo escreveu a carta aos efésios, agradecendo a Deus o profundo amor que havia na igreja. Timóteo é enviado para ser pastor da igreja. Mais tarde, o apóstolo João pastoreou aquela igreja. Agora, depois de quarenta anos, Jesus envia uma carta à segunda geração de crentes, mostrando

---

[6] Stott, John. *O que Cristo pensa da Igreja*, p. 16.
[7] Barclay, William. *Apocalipsis*, p. 72.
[8] Kistemaker, Simon. *Apocalipse*, p. 150.

que a igreja permanecia fiel na doutrina, mas já havia se esfriado em seu amor. William Hendriksen diz que foi durante o reinado de Domiciano, 81-96 d.C., que João foi desterrado para Patmos. Foi posto em liberdade e levado para Éfeso, morrendo ali o reinado de Trajano. A tradição relata que quando João, já muito idoso e demasiado fraco para caminhar, foi levado à igreja de Éfeso, ele admoestava aos membros, dizendo-lhes: "Filhinhos, amemo-nos uns aos outros".[9]

Qual é a mensagem de Jesus à sua igreja?

Jesus apresenta-se à sua igreja para dar-lhe segurança

Jesus envia sua mensagem ao anjo da igreja. Quem é esse anjo? Alguns intérpretes pensam que são seres celestiais enviados como mensageiros de Deus. Outros creem que sejam anjos guardiães, um para cada congregação. A interpretação mais consistente bíblica e historicamente, entretanto, é que "anjo" aqui deve ser entendido como o pastor da igreja.[10]

Jesus apresenta-se como aquele que está presente e em ação no meio de sua igreja. Ele não apenas está no meio dos candelabros (Apocalipse 1:13), mas também anda no meio dos candelabros (Apocalipse 2:1). A presença manifesta do Cristo vivo no meio da igreja é sua maior necessidade. Em nossa teologia, perdemos o impacto da presença real de Cristo entre nós. Temos a ideia de Cristo no céu, no trono, reinando à destra do Pai, mas

---

[9] HENDRIKSEN, William. *Mas que Vencedores,* p. 69.
[10] HENDRIKSEN, William. *Apocalipse,* p. 141-142.

não temos a visão clara de que ele está no meio da congregação. Perdemos o impacto da presença de Cristo em nosso louvor, em nossas reuniões e em nossos encontros. Cremos em sua transcendência, mas não vivenciamos sua imanência. Perdemos o senso da glória do Cristo presente entre nós.

Jesus não só está presente, ele está também segurando sua igreja em suas onipotentes mãos. O verbo *kratein* (conserva) é diferente do traduzido por "tinha" (Apocalipse 1:16). Significa segurar com firmeza, ter totalmente dentro das mãos. Ninguém pode arrancar-nos das mãos de Jesus (João 10:28). Nada pode nos separar do amor de Deus que está em Cristo Jesus. William Barclay afirma corretamente: "a totalidade da igreja está em sua mão, e ele a sustém. Cristo não é o Cristo de alguma seita, comunidade ou denominação, e menos ainda de alguma congregação em particular. Ele é o Cristo de toda a igreja".[11]

Jesus está também sondando sua igreja. Ele nos conhece: ele sonda nosso coração. Ele anda no meio da igreja para encorajá-la, repreendê-la e chamá-la ao arrependimento.

Jesus elogia sua igreja pelas suas virtudes

Jesus destaca três grandes virtudes da igreja de Éfeso, dignas de serem imitadas:

Em primeiro lugar, *era uma igreja fiel na doutrina* (Apocalipse 2:2,3,6). Mesmo cercada por perseguição e

---

[11] Barclay, William. *Apocalipsis*, p. 74.

mesmo atacada por constantes heresias, essa igreja permaneceu firme na Palavra, contra todas as ondas e novidades que surgiram. Jesus já alertara sobre o perigo dos lobos vestidos com peles de ovelhas (Mateus 7:15). Paulo já havia avisado os presbíteros dessa igreja sobre os lobos que penetrariam no meio do rebanho e sobre aqueles que se levantariam entre eles, falando coisas pervertidas para arrastar atrás deles os discípulos (Atos 20:29,30). Agora os lobos haviam chegado.

O apóstolo João fala da necessidade de provar os espíritos, porque há muitos falsos profetas (1João 4:1). A igreja de Éfeso estava enfrentando os falsos apóstolos que ensinavam heresias perniciosas (Apocalipse 2:2).

A igreja de Éfeso tinha discernimento espiritual. Tornou-se intolerante com a heresia (Apocalipse 2:2) e com o pecado moral (Apocalipse 2:6). "A igreja separou-se das falsas doutrinas e das falsas obras".[12] Os nicolaítas, (destruidores do povo), pregavam uma nova versão do cristianismo.[13] Eles pregavam um evangelho liberal, sem exigências e sem proibições. Eles queriam gozar o melhor da igreja e o melhor do mundo. Eles incentivavam os crentes a comer comidas sacrificadas aos ídolos. Eles ensinavam que o sexo antes e fora do casamento não era pecado. Eles acabavam estimulando a imoralidade. Mas a igreja de Éfeso não tolerou a heresia e odiou as obras dos nicolaítas.

A igreja evangélica brasileira precisa aprender nesse particular com a igreja de Éfeso. As pessoas hoje buscam experiência, e não a verdade. Elas não querem pensar, querem sentir. Elas não querem doutrina, querem as

---

[12] Wiersbe, Warren. *The Bible Expository Commentary*, p. 572.
[13] Stott, John. *O que Cristo pensa da Igreja*, p. 20.

novidades, as revelações, os sonhos e as visões. Elas não querem estudar a Palavra, querem escutar testemunhos eletrizantes. Elas não querem o evangelho da cruz, buscam o evangelho dos milagres. Elas não querem Deus, querem as bênçãos de Deus.

Estamos vivendo a época da paganização da igreja. A igreja está perdendo o compromisso com a verdade. As pessoas hoje parecem ter aversão à teologia ortodoxa. Elas buscam novidades. O que determina o rumo da igreja não é mais a Palavra de Deus, mas o gosto dos consumidores. A igreja não prega a Palavra, mas o que dá ibope. A igreja oferece o que o povo quer ouvir. A igreja está pregando outro evangelho: o evangelho do descarrego, do sal grosso, da quebra de maldições mesmo para os salvos, da prosperidade material, e não da santificação; da libertação, e não do arrependimento.

A igreja está perdendo a capacidade de refletir. Os crentes contemporâneos não são como os bereanos, nem como os crentes de Éfeso, fiéis à doutrina. Estamos vendo uma geração de crentes analfabetos em Bíblia, crentes ingênuos espiritualmente. Há uma preguiça mental doentia medrando em nosso meio. Os crentes engolem tudo aquilo que lhes é oferecido em nome de Deus, porque não estudam a Palavra. Crentes que já deveriam ser mestres, ainda estão como crianças agitadas de um lado para o outro, ao sabor dos ventos da doutrina. Correm atrás da última novidade. São ávidos pelas coisas sobrenaturais, mas deixam de lado a Palavra do Deus vivo.

Analisamos com preocupação a explosão do crescimento numérico da igreja evangélica brasileira. Precisamos perguntar: Que igreja está crescendo? Que evangelho está sendo pregado? O que está crescendo não é o evangelho genuíno, mas um misticismo híbrido. O que estamos vendo florescer é um cristianismo sincrético, heterodoxo, um outro evangelho.

Em segundo lugar, *a igreja de Éfeso estava envolvida com a obra de Deus* (Apocalipse 2:2). Ela não era apenas teórica, ela agia. A palavra grega para "obra" é *kopós*, e esse termo descreve o trabalho que nos faz suar, o trabalho duro que nos deixa exaustos, a classe de trabalho que demanda de nós toda reserva de energia e toda nossa concentração mental.[14] Havia labor, trabalho intenso. John Stott afirma que a igreja era uma colmeia industriosa.[15] Os crentes eram engajados, e não meramente expectadores. A congregação se envolvia, não era apenas um auditório. A igreja não vivia apenas intramuros. Não se deleitava apenas em si mesma. Não era narcisista. Por meio dela o evangelho espalhou-se por toda a Ásia Menor.

Jesus pode dizer o mesmo a nosso respeito? Temos sido uma igreja operosa? Você tem sido um ramo frutífero da Videira Verdadeira? Você tem sido um membro dinâmico do Corpo de Cristo?

Em terceiro lugar, *a igreja de Éfeso era perseverante nas tribulações* (Apocalipse 2:2,3). Ser crente em Éfeso não era popular. Lá ficava um dos maiores centros do culto ao imperador. Muitos crentes estavam sendo perseguidos e até mortos por não se dobrarem diante de César. Outros estavam sendo perseguidos por não adorarem a grande Diana dos Efésios. Outros estavam sendo seduzidos a cair nos falsos ensinos dos falsos apóstolos. Mas os crentes estavam prontos a enfrentar todas as provas por causa do nome de Jesus. Eles não esmoreciam.

---

[14] Barclay, William. *Apocalipsis*, p. 74.

[15] Stott, John. *O que Cristo pensa da Igreja*, p. 18.

Permanecemos fiéis quando somos perseguidos, provados e seduzidos? Hoje muitos crentes querem a coroa sem a cruz. Querem a riqueza sem o trabalho. Querem a salvação sem a conversão. Querem as bênçãos de Deus sem o Deus das bênçãos.

A igreja contemporânea está perdendo a capacidade de sofrer pelo evangelho. Ela prefere ser reconhecida pelo mundo do que ser conhecida no céu. A igreja perdeu a capacidade de denunciar o pecado. Esquemas de corrupção já estão se infiltrando dentro das igrejas. Já temos igrejas empresas. A igreja está se transformando em negócio familiar. O púlpito está se transformando em um balcão; o evangelho, em um produto; e os crentes, em consumidores. Pastores com ares de superespirituais já não aceitam ser questionados. Estão acima do bem e do mal. Estão acima dos outros e até da verdade. Consideram-se os "ungidos". Dizem ouvir a voz direta de Deus. Nem precisam mais das Escrituras. E o povo lhes segue cegamente para sua própria destruição.

Jesus repreende sua igreja pelo esfriamento de seu amor

A ortodoxia da igreja de Éfeso era deficiente em um ponto. Estava desconectada da prática da piedade e do exercício do amor. George Ladd comentando sobre o esfriamento do amor da igreja de Éfeso, diz:

> Este era um fracasso que atacara, nas bases, sua vida cristã. O Senhor tinha ensinado que o amor mútuo devia ser a marca que identificava a comunhão dos cristãos (João 13:35). Os convertidos de Éfeso tinham experimentado esse amor nos primeiros anos de sua nova existência;

> mas parece que a luta contra os falsos mestres e seu ódio por ensinos heréticos trouxeram endurecimento aos sentimentos e atitudes rudes a tal ponto que levaram ao esquecimento da virtude cristã suprema que é o amor. Pureza de doutrina e lealdade não podem nunca ser substitutos para o amor.[16]

Abandonamos nosso primeiro amor, quando substituímos o amor a Jesus pela ortodoxia e pelo trabalho (Apocalipse 2:4). A luta pela ortodoxia, o intenso trabalho e as perseguições levaram a igreja de Éfeso à aridez. Uma esposa pode ser fiel a seu marido sem amá-lo com toda sua devoção. Ela pode cumprir com seus deveres, mas não ser motivada por um profundo amor. Assim era a igreja de Éfeso, diz William Hendriksen.[17]

A igreja é a Noiva de Cristo. Ele se deleita nela. Ele se alegra com ela. Jesus mesmo está preparando sua noiva para o grande banquete de núpcias, para a festa das bodas do Cordeiro.

A Noiva de Cristo, entretanto, abandonou seu primeiro amor. O amor é a marca do discípulo verdadeiro (João 13:34,35). Sem amor, nosso conhecimento, nossos dons e nossa própria ortodoxia não têm nenhum valor. Jesus está mais interessado em nós do que em nosso trabalho. Odiar o erro e o mal não é o mesmo que amar a Cristo. O trabalho de Deus não pode tomar o lugar de Deus em nossa vida. Deus está mais interessado em um relacionamento com ele do que em trabalho para ele.

Abandonamos também nosso primeiro amor quando nosso amor por Jesus é substituído pelo nosso zelo

---

[16] LADD, George. *Apocalipse,* p. 32.

[17] HENDRIKSEN, William. *Mas que Vencedores,* p. 71.

religioso. Defendemos nossa teologia, nossa fé, nossas convicções e estamos prontos a sofrer e a morrer por essas convicções, mas não nos deleitamos mais em Deus. Não nos afeiçoamos mais a Jesus. Já não sentimos mais saudades de estar com ele. Os fariseus eram zelosos das coisas de Deus. Observavam com rigor todos os ritos sagrados. Mas o coração estava seco como um deserto.

O amor esfria quando nosso conhecimento teológico não nos move a nos afeiçoarmos mais a Deus. Conhecemos muito a respeito de Deus, mas não desejamos ter comunhão com ele. Falamos que ele é todo-poderoso como o profeta Jonas, mas o desafiamos com nossa rebeldia. Falamos que ele é amável, mas não temos prazer em falar com ele em oração.

Não há nada mais perigoso do que a ortodoxia morta. Externamente está tudo bem, mas a motivação está errada. A máquina funciona, mas não é Cristo quem está no centro. O amor à estrutura é maior do que o amor a Jesus. Crentes fiéis, mas sem amor. Crentes ortodoxos, mas secos como um poste. Crentes que conhecem a Bíblia, mas perderam o encanto com Jesus. Crentes que conhecem teologia, mas a verdade já não mais os comove. Crentes que morrem em defesa da fé e atacam a heresia como escorpiões do deserto, mas não amam mais o Senhor com a mesma devoção. Crentes que trabalham à exaustão, mas não contemplam o Senhor na beleza de sua santidade. Sofrem pelo evangelho, mas não se deleitam no evangelho. Combatem a heresia, mas não se deliciam na verdade.

Abandonamos, ainda, nosso primeiro amor quando examinamos os outros e não examinamos a nós mesmos. A igreja de Éfeso examinava os outros e era capaz de identificar os falsos ensinos, mas não era capaz de examinar a si mesma. Tinha doutrina, mas não tinha amor. A igreja identifica o mal doutrinário nos outros, mas não identifica a frieza do amor em si mesma. Identifica a heresia nos outros, mas não sua própria apatia espiritual. Warren Wiersbe disse que a igreja de Éfeso estava tão ocupada com a separação do mundo que esqueceu-se da adoração.[18] A igreja de Éfeso tinha identificado o mal doutrinário nos outros, mas não a frieza em si mesma. Tinha identificado a heresia nos outros, mas não a falta de amor em si mesma. Tinha zelo pela ortodoxia, mas estava vazia da principal marca do cristianismo, o amor.

Jesus oferece à sua igreja a chance de um recomeço

Jesus foi enfático à igreja: "Lembra-te, pois, de onde caíste" (Apocalipse 2:5). O passado precisa novamente tornar-se um presente vivo. Não basta saber que é preciso arrepender-se. Precisamos perguntar: Para onde precisamos retornar? Para o ponto do qual nos desviamos. Retornar para um lugar qualquer só nos levaria para outros descaminhos.[19] A igreja não está sendo chamada a relembrar seu pecado. Não está sendo dito: lembra-te em que situação caíste, mas de onde caíste.[20] O filho pródigo começou seu caminho de restauração quando lembrou-se da casa do Pai.

Em seguida Jesus disse: "arrepende-te" (Apocalipse 2:5). Arrependimento não é emoção, é decisão. É atitude.

---

[18] Wiersbe, Warren. *The Bible Expository Commentary*, p. 572.
[19] Pohl, Adolf. *Apocalipse de João. Vol. 1*. 2001. p. 107.
[20] Pohl, Adolf. *Apocalipse de João*, p. 107.

Não precisa existir choro, basta decisão. O filho pródigo não só se lembrou da casa do Pai, mas voltou para a casa do Pai. Lembrança sem arrependimento é remorso. Essa foi a diferença entre Pedro e Judas. Arrepender-se representa mudar a mente, mudar a direção, voltar-se para Deus. Representa deixar o pecado. Representa romper com o que está entristecendo o noivo. O que está fazendo seu coração esfriar? Deixe isso de lado. Arrependa-se.

Finalmente Jesus disse: "volta às obras que praticavas no princípio" (Apocalipse 2:5). Não é arrependimento, e depois repetidamente arrependimento, mas arrependimento e depois frutos do arrependimento, ou seja, as primeiras obras.[21] Ninguém se arrepende de um pecado e o continua praticando.

É tempo de você voltar-se para Jesus. Você que se afastou dele, que está frio. Você que deixou de orar, de se deleitar na Palavra. É tempo de se devotar novamente ao noivo.

Há uma solene advertência à igreja, caso ela não se arrependa. Jesus disse: "logo virei contra ti e tirarei o teu candelabro" (Apocalipse 2:5). Candelabro é feito para brilhar. Se ele não brilha, ele é inútil, desnecessário. A igreja não tem luz própria. Ela só reflete a luz de Cristo. Mas, se não tem intimidade com Cristo, ela não brilha; se ela não ama, não brilha, porque quem não ama está nas trevas. John Stott afirma que nenhuma igreja tem lugar seguro e permanente neste mundo. Ela está continuamente em julgamento.[22]

O juízo começa pela casa de Deus. Antes de julgar o mundo, Jesus julga a igreja. A igreja de Éfeso deixou

---

[21] Pohl, Adolf. *Apocalipse de João*, p. 107.

[22] Stott, John. *O que Cristo pensa da Igreja*, p. 26-27.

de existir. A cidade de Éfeso deixou também de existir. Hoje, só existem ruínas e uma lembrança de uma igreja que perdeu o tempo de sua visitação.

Hoje muitas igrejas também estão sendo removidas de seu lugar. Há templos se transformando em museus. Candelabros que são tirados de seu lugar, porque não têm luz, e não têm luz porque não têm amor. Fica o alerta às igrejas que não amam: "E mesmo que eu tivesse o dom de profecia, e conhecesse todos os mistérios, e tivesse todo o conhecimento, e mesmo que tivesse fé suficiente para mover montanhas, mas não tivesse amor, eu nada seria" (1Coríntios 13:2).

No meio da igreja há sempre um remanescente fiel. Esses são os vencedores. Eles rejeitaram as comidas sacrificadas aos ídolos oferecidas pelos nicolaítas, mas agora se alimentam da árvore da vida.

A árvore da vida fala de vida eterna. Vida eterna é conhecer a Deus, e Deus é amor. Viver no paraíso e fruir de seus frutos significa comunhão clemente com o Senhor do paraíso.[23] O céu só é céu, porque lá é a casa do Pai, e ele é amor. Lá vamos desfrutar desse amor pleno e abundante de nosso noivo. A recompensa do amor é mais amor na perfeita comunhão do céu.[24] Que você tenha ouvidos para ouvir a voz do Espírito.

---

[23] POHL, Adolf. *Apocalipse de João*, p. 109.

[24] POHL, Adolf. *Apocalipse de João*, p:27.

capítulo 4

A mensagem de Jesus à igreja de Esmirna
(Apocalipse 2:8-11)

É possível ser fiel e fiel até a morte em um mundo carimbado pelo relativismo? O sofrimento revela quem é fiel e quem é conveniente. Aqui vemos uma igreja sofredora, perseguida, pobre, caluniada, aprisionada, enfrentando a própria morte, mas uma igreja fiel que só recebe elogios de Cristo. Warren Wiersbe diz que a palavra "Esmirna" vem de "mirra", uma erva amarga. Portanto, o nome da cidade é um nome bem próprio para uma igreja que estava enfrentando perseguição.[1]

Tudo o que Jesus diz nessa carta à igreja de Esmirna tem a ver com a cidade e com a igreja:

Em primeiro lugar, *vemos uma igreja pobre em uma cidade rica*. Esmirna era rival de Éfeso, diz William Hendriksen.[2] Era a cidade mais bela da Ásia Menor. Era considerada o ornamento, a coroa e a flor da Ásia.[3] Cidade

---

[1] Wiersbe, Warren. *With the Word*. 1991. p. 847.

[2] Hendriksen, William. *Mas que Vencedores*, p. 72.

[3] Barclay, William. *Apocalipsis*, p. 86.

comercial, onde ficava o principal porto da Ásia. O monte Pagos era coberto de templos e bordejado de casas formosas.[4] Era um lugar de realeza coroado de torres. Tinha um magnífica arquitetura, com templos dedicados a Cibeles, Zeus, Apolo, Afrodite e Esculápio. Hoje essa é a única cidade sobrevivente, com o nome de Izmir,[5] na Turquia asiática, com 255.000 habitantes.

Em segundo lugar, *uma igreja que enfrenta a morte em uma cidade que havia morrido e ressuscitado*. Esmirna havia sido fundada como colônia grega no ano 1.000 a.C. No ano 600 a. C., os lídios a invadiram e a destruíram por completo. No ano 200 a. C., Lisímaco a reconstruiu e fez dela a mais bela cidade da Ásia. Quando Cristo disse que estivera morto, mas estava vivo, os esmirneanos sabiam do que Jesus estava falando. A cidade estava morta e reviveu.[6]

Em terceiro lugar, *uma igreja fiel a Cristo na cidade mais fiel a Roma*. Esmirna sabia muito bem o significado da palavra fidelidade. De todas as cidades orientais, havia sido a mais fiel a Roma.[7] Muito antes de Roma ser senhora do mundo, Esmirna já era fiel a Roma.[8] Cícero dizia que Esmirna era a aliada mais antiga e fiel de Roma. No ano de 195 a. C., Esmirna foi a primeira cidade a erigir um templo à deusa Roma. No ano 26 d.C., quando as cidades da Ásia Menor competiam pelo privilégio de construir um templo ao imperador Tibério, e,

---

[4] Barclay, William. *Apocalipsis*, p. 87.
[5] Wilcock, Michael. *A Mensagem do Apocalipse*, p. 24.
[6] Barclay, William. *Apocalipsis*, p. 87-88.
[7] Barclay, William. *Apocalipsis*, p. 88.
[8] Ladd, George. *Apocalipse*, p. 34.

nesse privilégio, Esmirna ganhou de Éfeso .[9] Para a igreja dessa cidade, Jesus disse: "Sê fiel até a morte".

Em quarto lugar, *uma igreja vitoriosa na cidade dos jogos atléticos*. Esmirna tinha um estádio onde todos os anos se celebravam jogos atléticos famosos dos quais participavam atletas procedentes de todo o mundo; os jogadores disputavam uma coroa de louros. Para os crentes dessa cidade, Jesus prometeu a coroa da vida.[10]

Ser cristão em Esmirna representava o risco de perder os bens e a própria vida. Essa igreja pobre, caluniada e perseguida só recebe elogios de Cristo. A fidelidade até a morte era a marca dessa igreja. Como podemos aprender com essa igreja a sermos fiéis?

Tendo uma visão sem romantismo da vida

A igreja de Esmirna estava atravessando um momento de prova, e o futuro imediato era ainda mais sombrio. Jesus conforta a igreja dizendo a ela que conhecia sua tribulação. Adolf Pohl, fazendo um paralelo entre o sofrimento de Cristo e da igreja de Esmirna, diz:

> Existe uma noite em que não se pode agir, mas somente sofrer. Durante os dias da Paixão de Cristo, a lei da ação igualmente passou para seus adversários. Ele atestou a seus perseguidores: "Esta é a vossa hora, a hora do poder das trevas" (Lucas 22:53), e a Pilatos: "Nenhuma autoridade terias sobre mim, se do alto não te fora dada" (João 19:11). Aconteceram os momentos em

---

[9] Stott, John. *O que Cristo pensa da Igreja*, p. 29.
[10] Barclay, William. *Apocalipsis*, p. 89.

> que silenciou diante das pessoas e estava amarrado à cruz. Nem sequer podia unir as mãos, e muito menos impô-las sobre alguém. Entretanto, como foi poderosa sua ação por intermédio do sofrimento! Quanta ação na Paixão! Ele exclama: "Está consumado". A igreja em Esmirna, em sua paixão, uniu-se estreitamente a esse Senhor.[11]

Há quatro coisas nessa carta que precisamos destacar, se queremos ter uma visão sem romantismo da vida:

Em primeiro lugar, *tribulação* (Apocalipse 2:9). A ideia de tribulação é de um aperto, um sufoco, um esmagamento. A igreja estava sendo espremida debaixo de um rolo compressor. A pressão dos acontecimentos pesava sobre a igreja e a força das circunstâncias procurava forçar a igreja a abandonar sua fé.

Os crentes em Esmirna estavam sendo atacados e mortos. Eles eram forçados a adorar o imperador como se fosse Deus. De uma única vez lançaram do alto do monte Pagos 1:200 crentes. Em outro momento, lançaram 800 crentes. Os crentes estavam morrendo por causa de sua fé. Cerca de cinquenta anos depois dessa carta, o bispo de Esmirna foi queimado vivo em Esmirna. William Hendriksen, assim descreve esse fato:

> É possível que Policarpo fosse o bispo da igreja de Esmirna naquele tempo. Era um discípulo de João. Fiel até a morte, esse dedicado líder foi queimado vivo em uma fogueira no ano 155 d.C. Seus algozes pediram-lhe que dissesse: "César é Senhor", mas ele recusou a fazê-lo. Levado ao estádio, o procônsul instou com ele, dizendo: "Jura, maldiz a Cristo e te porei em liberdade." Poli-

[11] Pohl, Adolf. *Apocalipse de João*, p:110.

> carpo lhe respondeu: "Sirvo a Cristo há oitenta e seis anos, e ele nunca me fez mal, só o bem. Então como posso maldizer o meu Rei e Salvador?" [...]. Depois de ameaçá-lo com feras, o procônsul lhe disse: "Farei que sejas consumido pelo fogo". Mas Policarpo respondeu: "Tu me ameaças com fogo que queima por uma hora e depois de um pouco se apaga, mas tu és ignorante a respeito do fogo do juízo vindouro e do castigo eterno, reservado para os maus. Mas, por que te demoras? Faze logo o que queres [...]". Assim Policarpo foi queimado vivo em uma pira.[12]

Como entender o amor de Deus no meio da perseguição? Como entender o amor do Pai pelo seu Filho quando o entregou como sacrifício? Onde é sacrificado o amado, o amor se oculta. Isto é a Sexta-Feira da Paixão: não ausência, mas ocultação do amor de Deus.

Em segundo lugar, *pobreza*. George Ladd diz que a pobreza dos esmirneanos não advinha somente de sua situação econômica normal, mas do confisco de propriedades, de bandos hostis que os saqueavam e da dificuldade de ganhar a vida em um ambiente hostil.[13] A pobreza não é maldição. Jesus disse: "Bem-aventurados sois vós, os pobres" (Lucas 6:20). Tiago diz que Deus elege os pobres do mundo para ser ricos na fé (Tiago 2:5). Havia duas palavras para pobreza: *ptocheia* e *penia*. A primeira é pobreza total, extrema. Era representada pela imagem de um mendigo agachado.[14] *Penia* é o homem que carece do supérfluo, enquanto *ptocheia* é o que não tem

---

[12] HENDRIKSEN, William. *Mas que Vencedores*, p. 72-73

[13] LADD, George. *Apocalipse,* p:34.

[14] POHL, Adolf. *Apocalipse de João*, p. 110.

nem sequer o essencial.[15] João usou a palavra *pthocheia* para descrever a pobreza dos esmirneanos. A pobreza dos crentes era um efeito colateral da tribulação. Ela era resultante de algumas razões: 1) os crentes eram procedentes das classes pobres e muitos deles eram escravos; e os primeiros cristãos sabiam o que era pobreza absoluta; 2) os crentes eram saqueados e seus bens eram tomados pelos perseguidores (Hebreus 10:34); 3) os crentes haviam renunciado aos métodos suspeitos e, por sua fidelidade a Cristo, perderam os lucros fáceis que foram para as mãos de outros menos escrupulosos.

Em terceiro lugar, *difamação*. Os judeus estavam espalhando falsos rumores sobre os cristãos. As mentes estavam sendo envenenadas.[16] Os crentes de Esmirna estavam sendo acusados de coisas graves. O diabo é o acusador. Ele é o pai da mentira. Aqueles que usam a arma das acusações levianas são "sinagoga de Satanás". Havia uma forte e influente comunidade judaica em Esmirna. A população dessa cidade não só estava perseguindo os crentes, mas estava influenciando os romanos para que prendessem os crentes. João chama os judeus perseguidores de "sinagoga de Satanás".

Os judeus foram os principais inimigos da igreja no século 1. Perseguiram a Paulo em Antioquia da Pisídia (Atos 13:50), em Icônio (Atos 14:2,5). Em Listra, Paulo foi apedrejado (Atos 14:19), em Corinto Paulo tomou a decisão de deixar os judeus e ir para os gentios (Atos 18:6). Quando retornou para Jerusalém, os judeus o prenderam no templo e quase o mataram. O livro de Atos termina com Paulo em Roma, sendo perseguido

[15] Barclay, William. *Apocalipsis,* p. 93.

[16] Stott, John. *O que Cristo pensa da Igreja,* p:31.

pelos judeus. Eles se consideravam o genuíno povo de Deus, os filhos da promessa, a comunidade da aliança, mas, ao rejeitarem o Messias e perseguirem a igreja de Deus, estavam se transformando em sinagoga de Satanás (Romanos 2:28,29). A religião deles foi satanizada. Tornou-se a religião do ódio, da perseguição, da rejeição da verdade. Quem difama Cristo ou o degrada naqueles que o confessam promove a obra de Satanás e guerreia as guerras de Satanás.

Os crentes passaram a sofrer várias acusações levianas: 1) canibais – por celebrarem a ceia com o pão e o vinho, símbolos do corpo de Cristo; 2) imorais, por celebrarem a festa do *ágape* antes da Eucaristia; 3) separadores de famílias, uma vez que as pessoas que se convertiam a Cristo deixavam suas crenças vãs para servir a Cristo; Jesus veio trazer espada, e não a paz; 4) ateus, por não se dobrarem diante de imagens dos vários deuses; 5) desleais e revolucionários, por se negarem a dizer que César era o Senhor.[17]

Em quarto lugar, *prisão*. Alguns crentes de Esmirna estavam enfrentando a prisão. A prisão era a antessala do túmulo. Os romanos não cuidavam de seus prisioneiros. Normalmente os prisioneiros morriam de fome, de pestilências ou de lepra.

Vistas de uma perspectiva mais elevada, as detenções tinham uma outra finalidade: "para que sejais provados". Os crentes estavam prestes a ser levados à banca de testes. Deus estava testando a fidelidade dos crentes. Mas Deus é fiel e não permite que sejamos tentados além de nossas forças. Ele supervisiona nosso teste.

---

[17] Barclay, William. *Apocalipsis,* p. 95.

Sabendo que a avaliação de Jesus é diferente da avaliação do mundo

A igreja de Esmirna era uma igreja pobre: isso porque os crentes vinham das classes mais baixas. Pobre, também, porque muitos dos membros eram escravos. Pobres, outrossim, porque seus bens eram tomados, saqueados. Pobres, ainda, porque os crentes eram perseguidos e até jogados nas prisões. Pobres, finalmente, porque os crentes não se corrompiam. Era uma igreja espremida, sofrida, acuada.

Embora a igreja fosse pobre financeiramente, era rica em recursos espirituais. Não tinha tesouros na terra, mas os tinha no céu. Era pobre diante dos homens, mas rica diante de Deus. A riqueza de uma igreja não está na pujança de seu templo, na beleza de seus móveis, na opulência de seu orçamento, na projeção social de seus membros. A igreja de Laodiceia considerava-se rica, mas Jesus disse que ela era pobre. A igreja de Filadélfia tinha pouca força, mas Jesus colocou diante dela uma porta aberta. A igreja de Esmirna, era pobre, mas aos olhos de Cristo era rica.

Enquanto o mundo avalia os homens pelo *ter*, Jesus os avalia pelo *ser*. Importa ser rico para Deus. Importa ajuntar tesouros no céu. O que eu te dou: Em nome de Jesus Cristo, o Nazareno, anda" (Atos 3:6). A igreja de Esmirna era pobre, mas fiel. Era pobre, mas rica diante de Deus. Era pobre, mas possuía tudo e enriquecia a muitos.

Podemos ser ricos para Deus, ricos na fé, ricos em boas obras. Podemos desfrutar das insondáveis riquezas de Cristo. À vista de Deus, há tantos pobres homens ricos como ricos homens pobres. É melhor ser como a igreja de Esmirna, pobre materialmente e rica espiritualmente, do que como a igreja de Laodiceia, rica materialmente, mas pobre diante de Cristo.

Estando pronto a fazer qualquer sacrifício para honrar a Deus

Aqueles crentes eram pobres, perseguidos, caluniados, presos e agora estavam sendo encorajados a enfrentar a própria morte, se fosse preciso. A questão em destaque aqui não é ser fiel até o último dia da vida, mas fiel até o ponto de morrer por essa fidelidade. É preferir morrer a negar a Jesus. Jesus foi obediente até a morte e morte de cruz. Ele foi da cruz até à coroa. Essa linha também foi traçada para a igreja de Esmirna: "Sê fiel até a morte, e eu te darei a coroa da vida" (Apocalipse 2:10). Desta forma, a igreja de Esmirna não é candidata à morte, mas à vida.

A cidade de Esmirna era fiel a Roma, mas os crentes são chamados a ser fiéis a Jesus. A cidade de Esmirna tinha a pretensão de ser a primeira, mas Jesus diz: "Eu sou o primeiro e o último" (Apocalipse 1:17). Somos chamados a ser fiéis até às últimas consequências, mesmo em um contexto de hostilidade e perseguição. Policarpo, o bispo da igreja, discípulo de João, foi martirizado no dia 23 de fevereiro de 155 d.C. Ele foi apanhado e arrastado para a arena. Tentaram intimidá-lo com as feras. Ameaçaram-no com o fogo, mas ele respondeu: "Eu sirvo a Jesus há oitenta e seis anos, e ele sempre me fez bem. Como posso blasfemar contra o meu Salvador e Senhor que me salvou?"[18] Os inimigos furiosos, queimaram-no

---

[18] Stott, John. *O que Cristo pensa da Igreja*, p. 32.

vivo em uma pira, enquanto ele orava e agradecia a Jesus o privilégio de morrer como mártir.

Hoje, Jesus espera de seu povo fidelidade na vida, no testemunho, na família, nos negócios, na fé. Não venda seu Senhor por dinheiro, como Judas. Não troque seu Senhor, por um prato de lentilhas, como Esaú. Não venda sua consciência por uma barra de ouro, como Acã. Seja fiel a Jesus, ainda que isso lhe custe seu namoro, seu emprego, seu sucesso, seu casamento, sua vida. Jesus diz que aqueles que são perseguidos por causa da justiça são bem-aventurados (Mateus 5:10-12). O servo não é maior do que seu senhor. O mundo perseguiu a Jesus e também nos perseguirá.

A Bíblia diz que todo aquele que quiser viver piedosamente em Cristo será perseguido (2Timóteo 3:12). Paulo diz: "Pois, por amor de Deus, vos foi concedido não somente crer nele, também sofrer por ele" (Filipenses 1:29). Dietrich Bonhoeffer, enforcado no campo de concentração de Flossenburg, na Alemanha, em 9 de abril de 1945, escreveu que o sofrimento é o sinal do verdadeiro cristão. Enquanto estamos aqui, muitos irmãos nossos estão selando com seu sangue sua fidelidade a Cristo.

Aqueles que forem fiéis no pouco, serão recebidos pelo Senhor com honras: "Muito bem, servo bom e fiel; foste fiel sobre pouco; sobre muito te colocarei; participa da alegria do teu Senhor" (Mateus 25:21).

Sabendo que Jesus está no controle de todos os detalhes de nossa vida

Jesus conhece quem somos e tudo o que acontece conosco (Apocalipse 2:9). Esse fato é fonte de muito conforto. Uma de nossas grandes necessidades nas tribulações é alguém com quem partilhá-las. Jesus conhece nossas aflições, porque anda no meio dos candelabros. Sua presença nunca se afasta.

Nossa vida não está solta, ao léu. Nosso Senhor não dormita nem dorme. Ele está olhando para você. Ele sabe o que você está passando. Ele conhece sua tribulação. Ele conhece suas lutas. Conhece suas lágrimas. Sabe que diante dos homens você é pobre, mas ele sabe os tesouros que você tem no céu. Jesus sabe das calúnias que são assacadas contra você. Conhece o veneno das línguas mortíferas que conspiram contra você. Sabe que somos pobres, mas, ao mesmo tempo, ricos. Sabe que somos entregues à morte, mas, ao mesmo tempo, temos a coroa da vida.

Jesus, também, permite o sofrimento com o propósito de provar você, e não de lhe destruir (Apocalipse 2:10). A intenção do inimigo é destruir sua fé, mas o propósito de Jesus é provar você. Os judeus estão furiosos. O diabo está por trás do aprisionamento. Mas quem realiza seus propósitos é Deus. O fogo das provas só consumirá a escória, só queimará a palha, porém tornará você mais puro, mais digno, mais fiel. Jesus estava peneirando sua igreja para arrancar dela as impurezas. Nosso adversário nos tenta para nos destruir; Jesus nos prova para nos refinar. Precisamos olhar para além da provação, para o glorioso propósito de Jesus. Precisamos olhar para além do castigo, para seu benefício. O rei Davi disse: "Foi bom eu ter sido castigado, para que aprendesse teus decretos" (Salmos 119:71). O Senhor não o poupa da prisão, mas usa a prisão para fortalecer você. Ele não nos livra da fornalha, mas nos purifica nela.

Jesus controla tudo o que sobrevém à sua vida. Nenhum sofrimento pode nos atingir, exceto com sua expressa permissão. Ele adverte os crentes de Esmirna sobre o que está por acontecer, ele fixa um limite a seus sofrimentos. Jesus sabe quem está por trás de todo ataque à sua vida (Apocalipse 2:10). O inimigo que nos ataca não pode ir além do limite que Jesus estabelece. A prisão será breve. E Jesus diz: "Não temas o que hás de sofrer" (Apocalipse 2:10). Três verdades estão aqui presentes: a primeira é que o sofrimento é certo; a segunda, que será limitado; a terceira, que será breve.

Assim como aconteceu com Jó, Deus diria para o diabo em Esmirna: "Até aqui virás, mas não avançarás" (Jó 38:11). O diabo só pode ir até onde Deus permite que ele vá. Quem está no controle de nossa vida é o Rei da glória. Não tenha medo!

Jesus já passou vitoriosamente pelo caminho estreito do sofrimento que nos atinge, por isso pode nos fortalecer. Ele também enfrentou tribulação. Ele foi homem de dores. Ele sabe o que é padecer. Ele foi pressionado pelo inferno. Ele suportou pobreza, não tinha onde reclinar a cabeça. Foi caluniado. Chamaram-no de beberrão, de impostor, de blasfemo, de possesso. Ele foi preso, açoitado, cuspido, pregado na cruz. Jesus passou pelo vale escuro da própria morte. Ele entrou nas entranhas da morte e a venceu. Agora ele diz para sua igreja: "Não temas o que hás de sofrer" (Apocalipse 2:10). Ele tem poder para consolar, porque ele foi tentado como nós, mas sem pecar. Ele pode nos socorrer, porque trilhou o caminho do sofrimento e da morte e venceu. William Barclay diz que o Cristo ressuscitado é aquele que experimentou a morte, passou através da morte e saiu da morte; voltou a viver, triunfantemente, pela ressurreição, e está vivo pelos séculos dos séculos.[19]

---

[19] Barclay, William. *Apocalipsis*, p. 97.

Jesus é eterno, ele é o primeiro e o último. Aquele que nunca muda e que está sempre conosco.

Ele é vitorioso, ele enfrentou a morte e a venceu. Ele destruiu aquele que tem o poder da morte e nos promete vitória sobre ela.

Ele é galardoador, ele promete a coroa da vida para os fiéis e vitória completa sobre a segunda morte para os vitoriosos. William Barclay, ainda diz:

> A exigência do Cristo ressuscitado é que seu povo lhe seja fiel até a morte, fiel ainda quando a vida mesma seja o preço dessa fidelidade. A lealdade era uma virtude que todos os habitantes de Esmirna conheciam muito bem, porque sua cidade havia comprometido seu destino com Roma e se havia mantido leal, ainda em épocas quando a grandeza de Roma não era mais que uma remota possibilidade.[20]

Jesus conclui sua mensagem à igreja de Esmirna, dizendo: "Quem tem ouvidos, ouça o que o Espírito diz às igrejas" (Apocalipse 2:11). Cada igreja tem necessidade de um sopro especial do Espírito de Deus. A palavra para a igreja de Esmirna era: considerem-se candidatos à vida. Sob tribulação, pobreza e difamação, continuem fiéis. Não olhem para o sofrimento, mas para a recompensa. Só mais um pouco, e ouviremos nosso Senhor nos chamando de volta para casa: "Vinde, benditos de meu Pai. Possuí por herança o reino que vos está preparado desde a fundação do mundo" (Mateus 25:34), aqui não tem mais morte, nem pranto, nem luto, nem dor!

A promessa de Jesus é clara: "O vencedor de modo algum sofrerá a segunda morte" (Apocalipse 2:11). Podemos

---

[20] Barclay, William. *Apocalipsis*, p. 98.

enfrentar a morte e até o martírio, mas escaparemos do inferno, que é a segunda morte, e entraremos no céu, que é a coroa da vida. Precisamos ser fiéis até a morte, mas a segunda morte não poderá nos atingir. Podemos perder nossa vida, mas a coroa da vida nos será dada.

capítulo 5

A mensagem de Jesus à igreja de Pérgamo
(Apocalipse 2:12-17)

A carta à igreja de Pérgamo é um brado de Jesus à igreja contemporânea. Essa carta é endereçada a você, a mim, a nós. Não é uma mensagem diante de nós, mas diz respeito a nós. Examinaremos não apenas um texto antigo, mas sondaremos nosso próprio coração à luz dessa verdade eterna.

O perigo que estava assaltando a igreja de Pérgamo era a linha divisória entre a verdade e a heresia. John Stott diz que o ponto da discórdia na igreja não era entre o bem e o mal, e sim entre a verdade e o erro.[1] George Ladd diz que o pecado dos efésios era intolerância rude; o pecado da igreja de Pérgamo era tolerância e liberalismo.[2] Como a igreja pode permanecer na verdade sem se misturar com as heresias e com o mundanismo? Como uma igreja que é

---

[1] Stott, John. *O que Cristo pensa da Igreja*, p. 42.
[2] Ladd, George. *Apocalipse*, p. 39.

capaz de enfrentar o martírio pode permanecer fiel diante da tática da sedução?

A palavra *pérgamo* significa casado. A igreja precisa lembrar-se que ela está comprometida com Cristo, é a noiva de Cristo e precisa se apresentar como uma esposa santa, pura e incontaminada. No livro de Apocalipse, o sistema do mundo que está entrando na igreja é definido como a grande Babilônia, a mãe das meretrizes, enquanto a igreja é definida como a noiva de Cristo.

O ponto central dessa carta é alertar a igreja sobre o risco da perigosa mistura do povo de Deus com o engano doutrinário e com a imoralidade do mundo.

Cristo sonda a igreja e revela os perigos que a cercam

Em primeiro lugar, *Cristo vê uma igreja instalada no meio do acampamento de Satanás* (Apocalipse 2:13). Pérgamo era uma cidade com um passado glorioso. Historicamente, era a mais importante cidade da Ásia. Segundo Plínio "era a mais famosa cidade da Ásia".[3] Começou a destacar-se depois da morte de Alexandre, o grande, em 333 a.C. Foi capital da Ásia por quase quatrocentos anos. Foi capital do reino Selêucida até 133 a.C. Átalo III, rei selêucida, o último de Pérgamo, passou o reino a Roma em seu testamento, e Pérgamo tornou-se a capital da província romana da Ásia.

Em segundo lugar, *Pérgamo, também, era um importante centro cultural*. Como centro cultural sobrepujava Éfeso e Esmirna. Era famosa por sua biblioteca que

---

[3] Barclay, William. *Apocalipsis*, p. 102.

possuía 200.000 pergaminhos. Era a segunda maior biblioteca do mundo, só superada pela de Alexandria. Pergaminho deriva-se de Pérgamo. O papiro do Egito era o material usado para escrever. No século III a.C., Eumenes, rei de Pérgamo, resolveu transformar a biblioteca de Pérgamo na maior do mundo. Convenceu a Aristófanes de Bizâncio, bibliotecário de Alexandria, a vir para Pérgamo. Ptolomeu, rei do Egito, revoltado, embargou o envio de papiro para Pérgamo. Então, inventaram o pergaminho, de couro alisado, que veio superar o papiro. Pérgamo gloriava-se de seus conhecimentos e cultura.[4]

Em terceiro lugar, *Pérgamo, ainda, era um destacado centro do paganismo religioso*. Em Pérgamo, havia um grande panteão e altares para vários deuses. No topo da Acrópole, ficava o famoso templo dedicado a Zeus, uma das sete maravilhas do mundo antigo. Todos os dias se levantava a fumaça dos sacrifícios prestados a Zeus.

Outro dado relevante é que, em Pérgamo, havia o culto a Esculápio. Ele era o "deus salvador", o deus serpente das curas.[5] Seu colégio de sacerdotes médicos era famoso. Naquela época, mantinha duzentos santuários no mundo inteiro. A sede era em Pérgamo. Ali estava a sede de uma famosa escola de medicina. Para essa cidade, peregrinavam e convergiam pessoas doentes do mundo inteiro em busca de saúde. A crendice misturava-se com a ciência. Galeno, médico só superado por Hipócrates, era de Pérgamo. As curas, muitas vezes, eram atribuídas ao poder do deus serpente, Esculápio.[6] Esse deus serpente tinha o título famoso de Salvador. O emblema

---

[4] Barclay, William. *Apocalipsis*, p. 102-103.
[5] Stott, John. *O que Cristo pensa da Igreja*, p:42.
[6] Barclay, William. *Apocalipsis*, p. 104.

de Esculápio era uma serpente, e, ainda hoje, a serpente decora os emblemas da medicina.[7] A antiga serpente assassina, apresenta-se agora como sedutora.

Em quarto lugar, *em Pérgamo, também, estava o centro asiático do culto ao imperador*. O culto ao imperador era o elemento unificador para a diversidade cultural e política do império.[8] No ano 29 a.C., foi construído em Pérgamo o primeiro templo a um imperador vivo, o imperador Augusto. O anticristo era mais evidente em Pérgamo do que o próprio Cristo.[9] Desde 195 a.C., havia templos à deusa Roma em Esmirna. O imperador encarnava o espírito da deusa Roma. Por isso, se divinizou a pessoa do imperador e começou a se levantar templos ao imperador. Uma vez por ano, os súditos deviam ir ao templo de César e queimar incenso dizendo: "César é o Senhor". Depois, podiam ter qualquer outra religião. Havia até um panteão para todos os deuses. Isso era símbolo de lealdade a Roma, uma cidade eclética, de espírito aberto, onde a liberdade religiosa reinava desde que observasse esse detalhe do culto ao imperador.

Finalmente, *em Pérgamo estava o trono de Satanás*. Ele não apenas habitava na cidade, mas lá estava seu trono. O trono de Satanás não estava em um edifício, como hoje sugerem os defensores do movimento da Batalha Espiritual, mas no sistema da cidade. Adolf Pohl corretamente interpreta:

> Recomenda-se não relacionar "o trono de Satanás" com determinados prédios, mas, antes, com a cidade inteira, na qual os membros da comunidade viviam dis-

---

[7] Kistemaker, Simon. *Apocalipse*, p. 172.
[8] Kistemaker, Simon. *Apocalipse*, p. 105.
[9] Stott, John. *O que Cristo pensa da Igreja*, p. 42.

persos. Estava em questão algo ligado à atmosfera, a Pérgamo enquanto centro helenista em sua totalidade impressionante, com tudo o que dela irradiava, de forma tão atordoadora, em termos religiosos, culturais e políticos.[10]

O trono de Satanás é marcado pela pressão e pela sedução. Onde Satanás reina predomina a cegueira espiritual, floresce o misticismo, propaga-se o paganismo, a mentira religiosa, bem como a perseguição e a sedução ao povo de Deus.

Em Pérgamo, estava um panteão, onde vários deuses eram adorados. Isso atentava contra o Deus criador. Em Pérgamo, as pessoas buscavam a cura através do poder da serpente. Isso atentava contra o Espírito Santo, de onde emana todo o poder. Em Pérgamo, estava o culto ao imperador, onde as pessoas queimavam incenso e o adoravam como Senhor. E isso conspirava contra o Senhor Jesus, o Rei dos reis e Senhor dos senhores.

Cristo não apenas conhece as obras da igreja e suas tribulações. Mas também conhece a tentação que assedia a igreja, conhece o ambiente em que ela vive. Cristo sabe que a igreja está rodeada por uma sociedade não cristã, com valores mundanos, com heresias bombardeando-a a todo instante.

Cristo vê uma igreja capaz de enfrentar a morte por sua causa

Cristo conhece também a lealdade que a igreja lhe dedica. A despeito do poder do culto pagão a Zeus, a Esculápio

[10] Pohl, Adolf. *Apocalipse de João*, p. 115-116.

e ao imperador, os crentes da igreja de Pérgamo só professavam o nome de Jesus. Eles tinham mantido suas próprias convicções teológicas no meio dessa babel religiosa. A perseguição religiosa não os intimidou.

A igreja suportou provas extremas. Antipas, pastor da igreja de Pérgamo, segundo Tertuliano, foi colocado dentro de um boi de bronze, e este foi levado ao fogo até ficar vermelho, morrendo o servo de Deus sufocado e queimado.[11] Ele resistiu à apostasia até a morte.

Cristo vê uma igreja que começa a negociar a verdade

Como Satanás, ao usar a perseguição, não logrou êxito contra a igreja, mudou sua tática e usou a sedução. A proposta agora não é substituição, mas mistura. Não é apostasia aberta, mas ecumenismo.

Alguns membros da igreja começaram a abrir a guarda e a ceder diante da sedução do engano religioso. Na igreja, havia crentes que permaneciam fiéis, enquanto outros estavam se desviando da verdade. Em uma mesma congregação há aqueles que permanecem firmes e aqueles que caem.

Cristo vê uma igreja que começa a ceder às pressões do mundo

Balaque contratou Balaão para amaldiçoar a Israel. Balaão prostituiu seus dons com o objetivo de ganhar

---

[11] Barclay, William. *Apocalipsis*, p. 108.

dinheiro. O deus de Balaão era o dinheiro. Mas, quando ele abria a boca, só conseguia abençoar. Então Balaque ficou bravo com ele. Balaão, portanto, por ganância, aconselhou Balaque a enfrentar Israel não com um grande exército, mas com pequenas donzelas sedutoras. Aconselhou a mistura, o incitamento ao pecado. Aconselhou a infiltração, uma armadilha. Assim, os homens de Israel participariam de suas festas idólatras e se entregariam à prostituição. E o Deus santo se encheria de ira contra eles, e eles se tornariam fracos e vulneráveis.[12]

O pecado enfraquece a igreja. A igreja só é forte quando é santa. Sempre que a igreja se mistura com o mundo e adota seu estilo de vida, ela perde seu poder e sua influência.

O grande problema da igreja de Pérgamo é que, enquanto uns sustentavam a doutrina de Balaão, os demais membros da igreja se calaram em um silêncio estranho. A infidelidade aninhou-se dentro da igreja com a adesão de uns, e o conformismo dos outros. A igreja tornou-se infiel. Parecia que a igreja queria submergir suas diferenças doutrinárias no oceano do amor fraternal.[13]

Cristo vê uma igreja que começa a baixar seu padrão moral

Eles ensinavam que a liberdade de Cristo é a liberdade para o pecado. Diziam: "Não estamos mais debaixo da tutela da lei. Estamos livres para viver sem freios, sem imposições, sem regras". Esse simulacro da verdade era

---

[12] Stott, John. *O que Cristo pensa da Igreja*, p. 48.

[13] Stott, John. *O que Cristo pensa da Igreja*, p. 44.

para transformar a graça em licença para a imoralidade, a liberdade em libertinagem.

Os nicolaítas ensinavam que o crente não precisa ser diferente. Quanto mais ele pecar maior será a graça, diziam. Quanto mais ele se entregar aos apetites da carne, maior será a oportunidade do perdão. Eles faziam apologia ao pecado. Eles defendiam que os crentes precisam ser iguais aos pagãos. Eles deviam se conformar com o mundo. Por essa razão, o texto nos diz que Cristo odeia a obra dos nicolaítas. Ele odeia o pecado. O que era odiado em Éfeso era tolerado em Pérgamo.

Cristo diagnostica a igreja e identifica a fonte do pecado

Em primeiro lugar, *Jesus diz que a fonte do pecado é o diabo* (Apocalipse 2:13). A igreja de Pérgamo vivia e testemunhava em uma cidade onde Satanás habitava e onde estava seu trono. Satanás não somente habitou em Pérgamo, ele também a governou. Satanás era a fonte dos pecados aos quais alguns membros da igreja tinham sucumbido.[14] Seus numerosos templos, santuários e altares, seu labirinto de filosofias anticristãs, sua tolerância com a imoralidade dos nicolaístas e balaamitas ostentavam um testemunho em favor do domínio maligno.

John Stott diz que nós precisamos apagar de nossa mente a caricatura medieval de Satanás, despojando-o dos chifres, dos cascos e do rabo.[15] A Bíblia diz que ele é um ser espiritual inteligente, poderoso e inescrupuloso.

---

[14] Stott, John. *O que Cristo pensa da Igreja*, p. 50.

[15] Stott, John. *O que Cristo pensa da Igreja*, p. 50.

Jesus o chamou de príncipe deste mundo. Paulo o chamou de príncipe da potestade do ar. Ele tem um trono e um reino, e, sob seu comando, está um exército de espíritos malignos identificados nas Escrituras como "príncipes deste mundo de trevas" e "exércitos espirituais da maldade nas regiões celestiais" (Efésios 6:12).

Em segundo lugar, *Jesus diz que Pérgamo é um lugar sombrio*. A cidade estava mergulhada na confusão mental da heresia.[16] O reino de Satanás é onde as trevas reinam. Ele é o príncipe deste mundo de trevas. Ele odeia a luz. Ele é mentiroso e enganador. Ele cega o entendimento dos descrentes. Ele instiga os homens a pecar e os induz ao erro.

Cristo sonda a igreja e julga os que se rendem ao pecado

Em primeiro lugar, *Jesus exorta os faltosos ao arrependimento* (Apocalipse 2:16). A igreja precisava expurgar aquele pecado de tolerância com o erro doutrinário e com a libertinagem moral. A igreja precisava arrepender-se de seu desvio doutrinário e de seu desvio de conduta. Verdade e vida precisam ser pautados pela Palavra de Deus. Embora o juízo caia sobre os que se desviaram, a igreja toda é disciplinada e envergonhada por isso.

A igreja precisa arrepender-se de sua tolerância com o erro. Embora apenas alguns membros da igreja se desviaram, os outros devem se arrepender porque foram tolerantes com o pecado. Enquanto os crentes de Éfeso odiavam as obras dos nicolaítas, os crentes de Pérgamo

---

[16] Stott, John. *O que Cristo pensa da Igreja*, p. 52.

toleravam a doutrina e a obra dos nicolaítas. O pecado da igreja de Pérgamo era a tolerância com o erro e com o pecado.

Em segundo lugar, *Jesus sentencia os impenitentes com o juízo*. A falta de arrependimento desemboca no juízo. Jesus virá em juízo condenatório contra todos aqueles que permanecem impenitentes e contra aqueles que se desviam da verdade. Antipas morreu pela espada dos romanos. Mas quem tem a verdadeira espada é Jesus. Ele derrotará seus inimigos com esta poderosa arma — a espada de sua boca é sua arma que destrói seus inimigos. Essa é a única arma que Jesus usará em sua segunda vinda. Com ela, ele matará o anticristo e também destruirá os rebeldes e apóstatas.

A mensagem da verdade se tornará a mensagem do julgamento. Deus nos fará responsáveis por nossa atitude em face da verdade que conhecemos. Jesus diz que sua própria palavra é que condenará o ímpio no dia do juízo (João 12:47,48). A palavra salvadora torna-se juiz e a espada benfazeja, transforma-se em carrasco.[17]

Cristo sonda a igreja e premia os vencedores

Em primeiro lugar, *Jesus diz que os vencedores comerão do maná escondido* (Apocalipse 2:17). No deserto, Deus mandou o maná (Êxodo 16:11-15). Quando cessou o maná, um vaso com maná foi guardado na Arca e depois no templo (Êxodo 16:33,34; Hebreus 9:4). Com a destruição do templo, conta uma lenda que Jeremias

---

[17] STOTT, John. *O que Cristo pensa da Igreja*, p. 54.

escondeu o vaso com maná em uma fenda do Monte Sinai. Os rabinos diziam que, ao vir o Messias, o vaso com maná seria recuperado. Receber o maná escondido significa desfrutar das bênçãos da era messiânica.

O maná escondido refere-se ao banquete permanente que teremos no céu. Aqueles que rejeitam o luxo das comidas idólatras nesta vida terão o banquete com as iguarias de Deus no céu. Bengel disse que diante desse manjar o apetite pela carne sacrificada a ídolos deveria desaparecer.

O maná era o pão de Jeová (Êxodo 16:15), cereal do céu (Salmos 78:24). Era alimento celestial. Os crentes não devem participar dos banquetes pagãos, pois participarão dos banquetes do céu. Jesus é o pão do céu.

Em segundo lugar, *Jesus diz que os vencedores receberão uma pedrinha branca* (Apocalipse 2:17). Essa pedrinha branca pode ter pelo menos dois significados: Primeiro, era uma espécie de "entrada" para um banquete. Era considerada um bilhete para admissão à festa messiânica.[18] Segundo, era usada nos tribunais para veredito dos jurados. A sentença de absolvição correspondia a uma maioria de pedras brancas; e a de condenação a uma maioria de pedras pretas. O cristão é declarado justo, inocente, sem culpa diante do Trono de Deus.

Era usada também como bilhete de entrada em festivais públicos. A pedrinha branca é símbolo de nossa admissão no céu, na festa das bodas do Cordeiro. Quem deixa as festas do mundo vai ter uma festa verdadeira onde a alegria vai durar para sempre.

---

[18] RIENECKER, Fritz e ROGERS, Cleon. *Chave Linguística do Novo Testamento*, p. 608-609.

Em terceiro lugar, *Jesus diz que os vencedores receberão um novo nome* (Apocalipse 2:17). John Stott diz que o maná escondido é Cristo. O novo nome é Cristo. Devemos nos deliciar com o maná e compreender o novo nome. Esta é a visão beatífica.[19] Aqueles que conhecem em parte conhecerão também plenamente, como são conhecidos. Aqueles que veem agora como em um espelho, indistintamente, o verão face a face.

---

[19] Rienecker, Fritz e Rogers, Cleon. *Chave Linguística do Novo Testamento,* p. 57.

capítulo 6

A mensagem de Jesus à igreja de Tiatira (Apocalipse 2:18-29)

A mais extensa carta é dirigida à menos importante das sete cidades, diz John Stott.[1] Tiatira não era nenhum centro político ou religioso, sua importância era comercial.[2] William Barclay diz que a importância de Tiatira era sua posição geográfica, pois ficava no caminho por onde viajava o correio imperial. Por esse caminho se transportava todo o intercâmbio comercial entre Europa e Ásia.[3]

Tiatira era sede de vários grêmios importantes de comércio (lã, couro, linho, bronze, tintureiros, alfaiates, vendedores de púrpura).[4] Uma dessas corporações vendiam vestimentas de púrpura e é provável que Lídia fosse uma representante dessa corporação em Filipos

---

[1] RIENECKER, Fritz e ROGERS, Cleon. *Chave Linguística do Novo Testamento*, p. 58.

[2] LADD, George. *Apocalipse,* p:40.

[3] BARCLAY, William. *Apocalipsis*, p. 118.

[4] STOTT, John. *O que Cristo pensa da Igreja,* p. 59.

(Atos 16:14). Esses grêmios tinham fins tanto de mútua proteção e benefício como social e recreativo.

Seria quase impossível ser comerciante em Tiatira sem fazer parte desses grêmios. Não participar era uma espécie de suicídio comercial. Era perder as esperanças de prosperidade.[5]

Cada grêmio tinha sua divindade tutelar.[6] Nessas reuniões, havia banquetes com comida sacrificada aos ídolos e que acabavam depois em festas cheias de licenciosidade. William Barlcay diz que esse era o problema de Tiatira: não havia perseguição; o perigo estava dentro da igreja.[7]

O que os cristãos deviam fazer nessas circunstâncias: transigir ou progredir? Manter a consciência pura ou entrar no esquema para não perder dinheiro? Ser santo ou ser esperto? Qual é a posição do cristão: se sair do grêmio, perde sua posição, reputação e lucro financeiro. Se permanecer nessas festas, nega a Jesus. Nessa situação Jezabel fingiu saber a solução. Disse ela: para vencer a Satanás é preciso conhecer as coisas profundas de Satanás. O ensino de Jezabel enfatizava que não se pode vencer o pecado sem conhecer profundamente o pecado pela experiência.[8]

É dentro dessa cultura que está a igreja de Tiatira. Era uma igreja forte, crescente. Aos olhos de qualquer observador parecia ser uma igreja vibrante, amorosa, cheia de muitas pessoas. Agora, observaremos como Jesus vê essa igreja:

---

[5] Barclay, William. *Apocalipsis*, p. 119.
[6] Hendriksen, William. *Mas que Vencedores*, p. 80.
[7] Barclay, William. *Apocalipsis*, p. 119.
[8] Hendriksen, William. *Mas que Vencedores*, p. 81.

Uma igreja dinâmica sob a apreciação de Jesus

Em primeiro lugar, *Jesus se apresenta como aquele que conhece profundamente a igreja* (Apocalipse 2:18,23). Ele não apenas está no meio dos candelabros (Apocalipse 1:16), ele também anda no meio dos candelabros (Apocalipse 2:1). Ele conhece as obras da igreja (Apocalipse 2:19), as tribulações da igreja (Apocalipse 2:9), bem como, o lugar em que a igreja está (Apocalipse 2:13). Seus olhos são como chama de fogo (Apocalipse 2:18). Ele vê tudo, conhece tudo e sonda a todos. Nada escapa a seu conhecimento. Ele conhece as obras (Apocalipse 2:19) e também as intenções (Apocalipse 2:23).

Cristo apresenta-se assim porque muitas práticas vis estavam sendo toleradas secretamente dentro da igreja. Mas ninguém pode esconder-se do olhar penetrante e onisciente de Jesus. Pedro não pôde apagar de sua memória o olhar penetrante de Jesus. Ele esquadrinha o coração e os pensamentos. No dia do juízo, ele julgará o segredo do coração dos homens.

Em segundo lugar, *Jesus se apresenta como aquele que distingue dentro da igreja as pessoas fiéis e as infiéis* (Apocalipse 2:24). Em uma mesma comunidade havia três grupos: os que eram fiéis (Apocalipse 2:24), os que estavam tolerando o pecado (Apocalipse 2:20) e os que estavam vivendo no pecado (Apocalipse 2:20-22). A igreja está bem, está em perigo e está mal. E Jesus sabe distinguir uns dos outros. Em uma mesma igreja há gente salva e gente perdida. Há joio e trigo.

Em terceiro lugar, *Jesus se apresenta como aquele que reconhece e elogia as marcas positivas da igreja*

(Apocalipse 2:19). A igreja era operosa. Havia trabalho, labor, agenda cheia. A igreja era marcada por amor. Ela possuía a maior das virtudes, o amor. O que faltava em Éfeso havia em Tiatira. A igreja era marcada por fé. Havia confiança em Deus. A igreja era marcada pela perseverança ou paciência triunfadora. Ela passava pelas provas com firmeza. Finalmente, a igreja estava em franco progresso espiritual. Suas últimas obras eram mais numerosas que as primeiras. Essas marcas eram do remanescente fiel e não da totalidade dos membros. John Stott comentando sobre os predicados espirituais da igreja de Tiatira diz: "Tiatira não apenas rivalizava com Éfeso nas atividades do serviço cristão, como também demonstrou o amor que faltava em Éfeso, preservou a fé, que estava em perigo em Pérgamo e compartilhava com Esmirna a virtude da resistência paciente na tribulação".[9]

Uma igreja tolerante ao pecado sob a reprovação de Jesus

Destacamos em primeiro lugar, *que antes de Jesus reprovar a falsa profetisa, ele reprova a igreja* (Apocalipse 2:20). A igreja de Tiatira estava crescendo (Apocalipse 2:19), por isso, Satanás procura corromper seu interior, em vez de atacá-la de fora para dentro.

Jesus reprova a igreja por ser tolerante com o falso ensino e com a falsa moralidade. Enquanto Éfeso não podia suportar os homens maus e os falsos ensinos, Tiatira tolerava uma falsa profetisa, chamada Jezabel. Essa falsa profetisa estava exercendo uma influência tão

---

[9] Stott, John. *O que Cristo pensa da Igreja*, p. 59.

nefasta na igreja como Jezabel tinha exercido em Israel. O nome Jezabel significa *puro*, mas sua vida e conduta negavam seu nome. Foi Jezabel quem introduziu em Israel o culto pagão a Baal e misturou religião com prostituição. Ela não só perseguiu os profetas de Deus, mas também promoveu o paganismo.

A segunda Jezabel estava induzindo os servos de Deus ao pecado. Pregava que os pecados da carne podiam ser livremente tolerados. A liberdade que ela pregava era uma verdadeira escravidão.

A tolerância da igreja com o falso ensino provoca a ira de Jesus. A igreja abriu as portas para essa mulher. Ela subia ao púlpito da igreja, exercia a docência na igreja e induzia os crentes ao pecado. A igreja não tinha pulso para desmascará-la e enfrentá-la.

Uma planta venenosa estava vicejando naquele precioso canteiro, chamado igreja de Tiatira.[10] Naquele corpo saudável, um câncer maligno começou a formar-se. Um inimigo está encontrando guarida no meio da comunidade. Havia transigência moral dentro da igreja. Aqui não é o lobo que veio de fora, mas o lobo que estava enrustido dentro da igreja. Escrevendo sobre essa condição da igreja de Tiatira, William Barclay alerta:

> Aqui temos uma advertência. Uma igreja cheia de gente, cheia de energia e atividade, não necessariamente é uma verdadeira igreja. É muito fácil encher de gente uma igreja quando os fiéis vêm para ser entretidos e não para ser instruídos, para ser tranquilizados, em vez de ser desafiados e confrontados com a realidade de seus pecados e com a oferta da salvação. Uma igreja

---

[10] Stott, John. *O que Cristo pensa da Igreja,* p. 60.

> pode chegar a estar cheia de energia. Pode ser que essa igreja não descanse em suas múltiplas atividades, mas, nessa abundância de energia, pode, todavia, ter perdido o centro de sua vida. Em vez de ser uma congregação cristã, não passa de um clube social.[11]

Em segundo lugar, *Jesus demonstra seu zelo pela igreja e denuncia a falsa doutrina e a falsa moralidade* (Apocalipse 2:20). Jesus denunciou de forma firme a falsa doutrina na igreja. Jezabel estava ensinando à igreja que a maneira de vencer o pecado era conhecer as coisas profundas de Satanás (Apocalipse 2:23). Ela ensinava que os crentes não podiam cometer suicídio comercial; antes, deviam participar dos banquetes dos grêmios e comer carnes sacrificadas aos ídolos, bem como das festas imorais. Ela ensinava que os crentes deviam defender seus interesses materiais a todo custo. Prejuízo financeiro para ela era mais perigoso que o pecado. Amava mais o dinheiro que a Jesus, as exigências materiais mais que as exigências de Deus.[12] O ensino dela era que não há mérito em vencer um pecado sem antes experimentá-lo. O argumento dela é que, para vencer a Satanás, é preciso conhecê-lo e que o pecado jamais será vencido a menos que você tenha conhecido tudo por meio da experiência. O ensinamento perverso que estava por trás dessa falácia era: os pecados da carne podiam ser livremente tolerados sem prejuízo para o espírito. Mas a Bíblia diz que não podemos viver no pecado, nós os que para ele já morremos (Romanos 6:1,2). Paulo diz, "quanto ao mal [...] sede como criancinhas (1Coríntios 14:20) e diz ainda

---

[11] Barclay, William. *Apocalipsis*, p. 122.
[12] Barclay, William. *Apocalipsis*, p. 127.

que devemos ser "puros em relação ao mal" (Romanos 16:19). O ensino dessa falsa profetisa estava levando os crentes de Tiatira a experimentar toda sorte de pecado. O que se pretendia era deixar que o corpo se afundasse no pecado para que a alma ou espírito se mantivesse livre de desejos e necessidades pecaminosas. Ela ensinava que o homem que nunca havia experimentado o prazer não tinha mérito nenhum em abster-se dele; quem não conhecia a luxúria, então não seria virtude abandoná-la; a verdadeira conquista seria viver no excesso do pecado, sem permitir que o pecado conquistasse a alma. Jezabel ensinava que a indulgência no prazer era vantajosa para a alma.[13]

Jesus denunciou de igual forma, a falsa moralidade. A proposta de Jezabel era oferecer uma nova versão do cristianismo, um cristianismo liberal, sem regras, sem proibições, sem legalismos. Ela queria modificar o cristianismo para se adaptar à moralidade do mundo. Ela ensinava uma prática ecumênica com o paganismo.

Uma igreja confrontada por Jesus, tendo a oportunidade de arrepender-se

Antes de Jesus tratar a igreja com juízo, ele a confronta em misericórdia (Apocalipse 2:21). Deus é paciente e longânimo. Ele não tem prazer na morte do ímpio. Ele não quer que ninguém se perca. Ele chama a todos ao arrependimento. Ele dá tempo para que o pecador se arrependa. Cada dia é um tempo de graça, é uma oportunidade de se voltar para Deus. As portas da graça estão

---

[13] Barclay, William. *Apocalipsis*, p. 129.

abertas. Os braços de Deus estão estendidos para oferecer perdão.

Em segundo lugar, *antes de Jesus tratar a igreja com juízo, a confronta com a disciplina* (Apocalipse 2:22). A disciplina é um ato de amor. Jesus traz o sofrimento. Ele transformou o leito do adultério no leito do sofrimento. O leito da prostituição torna-se leito da doença terminal.[14] Ele transformou o prazer do pecado em chicote de disciplina. Ele está usando todos os recursos para levar o faltoso ao arrependimento.

Em terceiro lugar, *a falta de arrependimento implica necessariamente aplicação inexorável do juízo* (Apocalipse 2:19,22,23). Jezabel não quis se arrepender. Ela desprezou o tempo de sua oportunidade. Ela fechou a porta da graça com suas próprias mãos. Ela calcou com os pés o sangue purificador de Cristo. Ela zombou da paciência do Cordeiro. Agora, ela e seus seguidores são castigados com a doença, com grande tribulação e com a morte (Apocalipse 2:22,23). O salário do pecado é a morte. O pecado é doce ao paladar, mas amargo no estômago. O pecado é uma fraude, oferece prazer e traz desgosto. Satanás é um estelionatário, promete vida e paga com a morte.

O juízo contra o pecado será final e completo no dia do juízo. Jesus não apenas tem olhos como de fogo (Apocalipse 2:19), não apenas sonda nossa mente e coração (Apocalipse 2:23), mas, também, tem os pés semelhantes ao bronze polido, prontos a esmagar seus inimigos (Apocalipse 2:19). No dia do juízo, Cristo colocará todos seus inimigos debaixo de seus pés (1Coríntios 15:25). Naquele dia, o Cordeiro estará irado (Apocalipse 6:17).

---

[14] Pohl, Adolf. *Apocalipse de João*, p. 123.

Uma igreja encorajada a ser fiel até o fim a despeito da apostasia de outros

É possível manter-se firme na doutrina mesmo quando outros se desviam (Apocalipse 2:24). Alguns membros da igreja não apenas tinham tolerado o ensino e as práticas imorais de Jezabel, mas também estavam seguindo seus ensinos para sua própria destruição. No entanto, havia na igreja, um remanescente fiel. Cristo diz que esses de fato são livres. O jugo de Cristo é suave e leve. Os mandamentos de Deus não são penosos. Não são fardos. Ser crente é ser verdadeiramente livre.

Em segundo lugar, *é possível manter-se puro na conduta mesmo quando outros se corrompem* (Apocalipse 2:24). Alguns crentes de Tiatira tinham-se curvado aos ensinos pervertidos de Jezabel e iam aos templos pagãos para comer carne sacrificada aos ídolos. Também participavam das festas cheias de licenciosidade. Buscavam conhecer as coisas profundas de Satanás. E assim se corromperam moralmente. Todavia, havia nessa mesma igreja, irmãos que buscavam a santificação. A santidade de vida e de caráter é uma marca da igreja verdadeira. A santidade não é apenas a vontade de Deus, mas seu propósito. Deus nos escolheu para sermos santos (Efésios 1:4). Só os puros de coração verão a Deus (Mateus 5:8). Sem santificação, ninguém verá o Senhor (Hebreus 12:14). Eles se apartavam do mal e viviam em novidade de vida.

Se o propósito de Deus é nossa santidade, o propósito de Satanás é frustrar tal propósito. Ele está sempre procurando induzir os crentes a pecar. Ele usará o anticristo para esmagar a igreja pela força. Ele vai usar o falso profeta para perverter o testemunho da igreja pelo mal. Mas se não lograr êxito, ele seduzirá a igreja por intermédio da grande Babilônia, esse sistema sedutor do mundo. Se o diabo não pode destruir a igreja por meio da perseguição ou da heresia, tentará corrompê-la com o pecado.

Em terceiro lugar, *é preciso entender que já temos tudo em Cristo para uma vida plena* (Apocalipse 2:25). Um dos grandes enganos de Satanás é induzir os crentes a pensar que precisam buscar novidades para terem uma experiência mais profunda com Deus. A verdade de Deus é suficiente. Não precisamos de mais nada. Tudo está feito. O banquete da salvação foi preparado. O que precisamos não é de novidades, de buscar fora das Escrituras coisas novas, mas tomar posse da vida eterna, conhecer o que Deus já nos deu, apropriarmo-nos das insondáveis riquezas de Cristo. A provisão de Deus para nós é suficiente para uma vida plena até a volta de Jesus (Apocalipse 2:25). Precisamos permanecer firmes e fiéis, conservando essa herança até o fim.

Uma igreja recompensada pela sua vitória ao permanecer fiel a seu Senhor até o fim

O vencedor é o que guarda até o fim as obras de Jesus (Apocalipse 2:26). Perseverança é a marca dos santos. Aqueles que se desviam e perecem no pecado são como Judas, filhos da perdição, nunca nasceram de novo.

O vencedor julgará os ímpios e reinará com Cristo (Apocalipse 2:26,27). A falsa profetisa estava pregando que os crentes que não entrassem nos grêmios comerciais e não participassem de suas cerimônias pagãs perderiam o prestígio e cometeriam um suicídio econômico, ficando fadados à falência. Mas Cristo ensina que não adianta ganhar o mundo inteiro e perder a alma. Aqueles que não vendem sua consciência e não trocam Deus pelo dinheiro serão honrados, assentarão no trono e julgarão os ímpios. Os santos julgarão o mundo (1Coríntios 6:2). Aqueles que têm dominado suas próprias paixões sobre a terra terão ascendência sobre outros no céu.[15] No dia do juízo os perversos serão quebrados como um vaso de barro (Salmos 2:8,9). Em vez de desprezo, teremos uma posição de honra. Reinaremos com Cristo. Aqueles que perdem a vida por amor a Cristo encontram a verdadeira vida, mas aqueles que querem ganhar a vida, perdem-na.

O vencedor conhecerá não as coisas profundas de Satanás, mas as coisas profundas de Cristo (Apocalipse 2:28). Os salvos receberão a estrela da manhã. Não apenas eles receberão corpos gloriosos que brilharão como as estrelas no firmamento, mas também, conhecerão a Cristo, a estrela da manhã, em sua plenitude. Os salvos terão parte não apenas na autoridade de Cristo como governador do mundo, mas também em sua glória. Recusando-se a penetrar nas profundezas de Satanás, eles sondarão as profundezas de Cristo. Voltando suas costas às trevas do pecado, verão a luz da glória de Deus na face de Cristo. Os que renunciaram ao pecado e às vantagens do mundo viverão na glória com Cristo em completo e eterno contentamento.[16]

---

[15] Stott, John. *O que Cristo pensa da Igreja,* p. 72.
[16] Stott, John. *O que Cristo pensa da Igreja,* p. 73.

Cristo é nossa herança, nossa riqueza, nossa recompensa. Vê-lo-emos face a face. Servi-lo-emos eternamente. Ele será nosso prazer e deleite para sempre. Cristo é melhor que os banquetes do mundo. Só ele satisfaz nossa alma.

capítulo 7

A mensagem de Jesus à igreja de Sardes
(Apocalipse 3:1-6)

A história da igreja de Sardes tem muito que ver com a história da cidade de Sardes. A glória de Sardes estava em seu passado, diz George Ladd.[1] Sardes foi a capital da Lídia no sétimo século a.C. Viveu seu tempo áureo nos dias do rei Creso. Era uma das cidades mais magníficas do mundo nesse tempo.

Situada no alto de uma colina, amuralhada e fortificada, sentia-se imbatível e inexpugnável. Precipícios íngremes protegiam a cidade, de modo que não podia ser escalada.[2] Seus soldados e habitantes pensavam que jamais cairiam nas mãos dos inimigos. De fato, a cidade jamais fora derrotada por um confronto direto. Seus habitantes eram orgulhosos, arrogantes, e autoconfiantes.

Mas a cidade orgulhosa caiu nas mãos do rei Ciro da Pérsia em 529 a.C., quando este

---

[1] LADD, George. *Apocalipse*, p. 44.

[2] KISTEMAKER, Simon. *Apocalipse*, p. 196-197.

cercou a cidade por quatorze dias; e quando seus soldados estavam dormindo, ele penetrou com seus soldados por um buraco na muralha, o único lugar vulnerável, e dominou a cidade. Mais tarde, em 218 a.C., Antíoco Epifânio dominou a cidade da mesma forma. E isso por causa da autoconfiança e falta de vigilância de seus habitantes. Os membros dessa igreja entenderam claramente o que Jesus estava dizendo, quando afirmou: "Se não estiveres alerta, virei como um ladrão" (Apocalipse 3:3).

A cidade foi reconstruída no período de Alexandre Magno e dedicada à deusa Cibele, identificada com a deusa grega Ártemis. Essa divindade padroeira era creditada com o poder especial de restaurar a vida aos mortos.[3] Mas a igreja estava morrendo, e só Jesus poderia dar vida aos crentes.

No ano 17 d.C. Sardes foi parcialmente destruída por um terremoto e reconstruída pelo imperador Tibério. A cidade tornou-se famosa pela alto grau de imoralidade que a invadiu e a decadência que a dominou.

Quando João escreveu essa carta, Sardes era uma cidade rica, mas totalmente degenerada. Sua glória estava no passado, e seus habitantes entregavam-se aos encantos de uma vida de luxúria e prazer. A igreja tornou-se como a cidade. Em vez de influenciar, foi influenciada. Era como sal sem sabor ou uma candeia escondida. A igreja não era nem perigosa nem desejável para a cidade de Sardes.

É nesse contexto que vemos Jesus enviando essa carta à igreja. Sardes era uma poderosa igreja, dona de um grande nome. Uma igreja que tinha nome e fama, mas

---

[3] Rienecker, Fritz e Rogers, Cleon. *Chave Linguística do Novo Testamento*, p. 609.

não vida. Tinha desempenho, mas não integridade. Tinha obras, mas não dignidade.

A essa igreja Jesus envia uma mensagem revelando a necessidade imperativa de um poderoso reavivamento. Uma atmosfera espiritual sintética substituía o Espírito Santo naquela igreja, diz Arthur Bloomfield.[4] Ela substituía a genuína experiência espiritual por algo simulado. A igreja estava caindo em um torpor espiritual e precisava de reavivamento. O primeiro passo para o reavivamento é ter consciência de que há crentes mortos e outros dormindo, e todos eles precisam ser despertados.

Não é diferente o estado da igreja hoje. Ao sermos confrontados por aquele que anda no meio dos candelabros, precisamos também tomar conhecimento de nossa necessidade de reavivamento hoje. Devemos olhar para essa carta não como uma relíquia, mas como um espelho em que vemos a nós mesmos.

Certo pastor, ao ver a igreja que pastoreava em um profundo estado de torpor espiritual, negligenciando a Palavra, desobedecendo aos preceitos de Deus, chocou a congregação dizendo que, no domingo seguinte, faria a cerimônia de sepultamento da igreja. Convocou todos os crentes para virem para a cerimônia fúnebre. No domingo seguinte, até os faltosos estavam presentes. O pastor começou o culto e, bem defronte do púlpito, estava um caixão. O clima, de fato, era sombrio. Havia uma tristeza no ambiente. A curiosidade misturada com temor assaltou a todos. Depois do sermão, o pastor orientou os crentes a fazer uma fila e a ver o defunto que deveria ser enterrado. Cada pessoa que passava e olhava para

---

[4] Blomfield, Arthur E. *As Profecias do Apocalipse*. Venda Nova: Editora Betânia, 1996, p. 81.

dentro do caixão ficava comovida. Algumas pessoas saíram quebrantadas, em lágrimas. A congregação inteira prorrompeu em copioso choro. No fundo daquele caixão, não estava um corpo morto, mas um espelho. Cada crente daquela congregação contemplava seu próprio rosto. Todos entenderam a mensagem. Eles estavam dormindo o sono da morte e precisavam ser despertados para a vida em Cristo Jesus.

A necessidade do reavivamento

O reavivamento é necessário quando há crentes que só têm o nome no rol da igreja, mas ainda estão mortos espiritualmente, ou seja, ainda não são convertidos (Apocalipse 3:1). A igreja de Sardes vivia de aparências. As palavras de Jesus à igreja foram mais bombásticas do que o terremoto que destruiu a cidade no ano 17 d.C. A igreja tinha adquirido um nome. A fama da igreja era notável. A igreja gozava de grande reputação na cidade. Nenhuma falsa doutrina estava prosperando na comunidade. Não se ouve de balaamitas, nem dos nicolaítas, nem mesmo dos falsos ensinos de Jezabel.[5] William Barclay diz que a igreja de Sardes não era molestada por ataques externos, pois, quando uma igreja perde sua vitalidade espiritual, já não vale a pena atacá-la.[6]

Aos olhos dos observadores, parecia ser uma igreja viva e dinâmica. Tudo na igreja sugeria vida e vigor, mas a igreja estava morta. Era uma espiritualidade apenas de rótulo, de aparência. A maioria de seus membros ainda não eram convertidos. O diabo não precisou perseguir

---

[5] STOTT, John. *O que Cristo pensa da Igreja*, p. 78.
[6] BARCLAY, William. *Apocalipsis*, p. 139-140.

essa igreja de fora para dentro, ela já estava sendo derrotada pelos seus próprios pecados. Adolf Pohl diz que onde reina a morte pelo pecado, não há morte pelo martírio.[7]

A igreja de Sardes parecia mais um cemitério espiritual, do que um jardim cheio de vida. Não nos enganemos acerca de Sardes. Ela não é o que o mundo chamaria de igreja morta. Talvez ela seja considerada viva mesmo pelas igrejas irmãs. Nem ela própria tinha consciência de seu estado espiritual. Todos a reputavam como igreja viva, florescente; todos, com exceção de Cristo.[8] Parecia estar viva, mas, na verdade, estava morta. Tinha um nome respeitável, mas era só fachada. Quando Jesus examinou a igreja mais profundamente, disse: "Porque não tenho achado tuas obras perfeitas diante do meu Deus" (Apocalipse 3:2). J. I. Packer diz que há igrejas cujos cultos são solenes, mas são como um caixão florido, lá dentro tem um defunto.

A reputação da igreja era entre as pessoas, e não diante de Deus. A igreja tinha fama, mas não vida. Tinha pompa, mas não Pentecostes. Tinha exuberância de vida diante dos homens, mas estava morta diante de Deus. Deus não vê como vê o homem. A fama diante dos homens nem sempre é glória diante de Deus. Aquela igreja estava se transformando apenas em um clube.

A fé exercida pela igreja era apenas nominal. O cristianismo da igreja era apenas nominal. Seus membros pertenciam a Cristo apenas de nome, mas não de coração. Tinham fama de vivos; mas, na realidade, estavam mortos. Fisicamente vivos, espiritualmente mortos.

---

[7] Pohl, Adolf. *Apocalipse de João*, p. 128.

[8] Wilcock, Michael. *A Mensagem do Apocalipse*, p. 30.

Em segundo lugar, *o reavivamento é necessário quando há crentes que estão no CTI espiritual, em adiantado estado de enfermidade espiritual* (Apocalipse 3:2). Na igreja, havia crentes espiritualmente em estado terminal. A maioria dos crentes apenas tinha seus nomes no rol da igreja, mas não no livro da vida. Mas havia também crentes doentes, fracos, em fase terminal. O mundanismo adoece a igreja. O pecado mata a vontade de buscar as coisas de Deus. O pecado mata os sentimentos mais elevados e petrifica o coração. No começo vêm dúvidas, medo, tristeza, depois a consciência fica cauterizada.

Em terceiro lugar, *o reavivamento é necessário quando há crentes que, embora estejam em atividade na igreja, levam uma vida sem integridade* (Apocalipse 3:2). Aqueles crentes viviam uma vida dupla. Suas obras não eram íntegras. Eles trabalhavam, mas apenas sob as luzes da ribalta. Eles promoviam seus próprios nomes e não o de Cristo. Buscavam sua própria glória e não a de Cristo. Honravam a Deus com os lábios, mas o coração estava longe do Senhor (Isaías 29:13). Os cultos eram solenes, mas sem vida, vazios de sentido. A vida de seus membros estava manchada pelo pecado.

Esses crentes eram como os hipócritas. Davam esmolas, oravam, jejuavam, entregavam o dízimo, com o fim da ganhar a reputação de serem bons religiosos. Eles eram como sepulcros caiados. Ostentavam aparência de piedade, mas negavam seu poder (2Timóteo 3:5). Isso é formalidade sem poder, reputação sem realidade, aparência externa sem integridade interna, demonstração sem vida.

Esses crentes viviam um simulacro da fé, uma religião do faz de conta. Cantavam hinos de adoração, mas a mente estava longe de Deus. Pregavam com ardor, mas apenas para exibir sua cultura. Deus quer obediência, a verdade no íntimo. Em Sardes, os crentes estavam falsamente satisfeitos e confiantes; eram, de forma falsa, ativos, devotos e fiéis.

Em quarto lugar, *o reavivamento é necessário quando há crentes se contaminando abertamente com o mundanismo* (Apocalipse 3:4). A causa da morte da igreja de Sardes não era a perseguição, nem a heresia, mas o mundanismo. Como já disse Adolf Pohl, onde reina a morte pelo pecado, não há morte pelo martírio. A maioria dos crentes estava contaminando suas vestiduras. Isso é um símbolo da corrupção. O pecado tinha se infiltrado na igreja. Por baixo da aparência piedosa daquela respeitável congregação havia impureza escondida na vida de seus membros.

Aqueles crentes também viviam uma vida moralmente frouxa. O mundo estava entrando na igreja. A igreja estava se tornando amiga do mundo, amando o mundo e se conformando com ele. O fermento do mundanismo estava se espalhando na massa e contaminando a maioria dos crentes. Os crentes não tinham coragem de ser diferentes. John Stott, citando o historiador grego Heródoto, diz que os habitantes de Sardes, no correr dos anos, tinham adquirido uma reputação respaldada em padrões morais frouxos e até mesmo licenciosidade ostensiva.[9]

Os imperativos para o reavivamento

Jesus aponta três imperativos para o reavivamento da igreja:

Em primeiro lugar, *uma volta urgente à Palavra de Deus* (Apocalipse 3:3). O que é que eles ouviram e

---

[9] Stott, John. *O que Cristo pensa da Igreja*, p. 79.

deviam se lembrar, guardar e se voltar para isso? A Palavra de Deus! A igreja tinha se apartado da pureza da Palavra. O reavimamento é resultado dessa lembrança dos tempos do primeiro amor e dessa volta à Palavra. Uma igreja pode ser reavivada quando ela volta ao passado e lembra os tempos antigos, de seu fervor, de seu entusiasmo, de sua devoção a Jesus. Deixemos que a história passada nos desafie no presente a voltemo-nos para a Palavra de Deus. Quando uma igreja experimenta um reavivamento, ela passa a ter fome da Palavra. O primeiro sinal do reavivamento é a volta do povo de Deus à Palavra. Os crentes passam a ter fome de Deus e de sua Palavra. Começam a se dedicar ao estudo das Escrituras. Abandonam o descaso e a negligência com a Palavra. A Palavra torna-se doce como o mel. As antigas veredas se fazem novas e atraentes. A Palavra torna-se viva, deleitosa, transformadora.

O verdadeiro avivamento é fundamentado na Palavra, orientado e limitado por ela. Ele tem na Bíblia sua base, sua fonte, sua motivação, seu limite e seus propósitos. Avivamento não pode ser confundido com liturgia animada, com culto festivo, inovações litúrgicas, obras abundantes, dons carismáticos, milagres extraordinários. O reavivamento é bíblico ou não vem de Deus.

Em segundo lugar, *uma volta à vigilância espiritual* (Apocalipse 3:2). Sardes caiu porque não vigiou. A cidade de Sardes era uma acrópole inexpugnável que nunca fora conquistada em ataque direto; mas, duas vezes na história da cidade, ela foi tomada de surpresa por falta de vigilância da parte dos defensores.[10] Jesus alerta a igreja que se ela não vigiar, se ela não acordar, ele virá

---

[10] Ladd, George. *Apocalipse*, p. 44.

a ela como o ladrão que chega à noite, inesperadamente. Para aqueles que pensam que estão salvos, mas ainda não se converteram, aquele dia será dia de trevas e não de luz (Mateus 7:21-23). A igreja precisa ser vigilante contra as ciladas de Satanás, contra a tentação do pecado. Os crentes devem fugir de lugares, situações e pessoas que podem ser um laço para seus pés.

Alguns membros da igreja em Sardes estavam sonolentos, e não mortos. E Jesus os exorta a se levantarem desse sono letárgico (Efésios 5:14). Há crentes que estão dormindo espiritualmente. São acomodados, indiferentes às coisas de Deus. Não têm apetite espiritual. Não vibram com as coisas celestiais.

Os crentes fiéis precisam fortalecer os que estão com um pé na cova e socorrer aqueles que estão se contaminando com o mundo. Precisamos vigiar não apenas a nós mesmos, mas os outros também. Uma minoria ativa pode chamar de volta a maioria da morte espiritual. Um remanescente robusto pode fortalecer o que resta e que estava para morrer (Apocalipse 3:4).

Precisamos vigiar e orar. Os tempos são maus. As pressões são muitas. Os perigos são sutis. O diabo não atacou a igreja de Sardes com perseguição nem com heresia, mas minou a igreja com o mundanismo. Os crentes não estão sendo mortos pela espada do mundo, mas pela amizade com o mundo.

A igreja de Sardes não era uma igreja herética e apóstata. Não havia heresias nem falsos mestres na igreja. A igreja não sofria perseguição, não era perturbada por heresias, não era importunada por oposição dos judeus. Ela era ortodoxa, mas estava morta. O remanescente fiel devia estar vigilante para não cair em pecado e também para preservar uma igreja decadente da extinção, restabelecendo sua chama e seu ardor pelo Senhor.

Em terceiro lugar, *uma volta à santidade* (Apocalipse 3:4). O torpor espiritual em Sardes não tinha atingido a todos. Ainda havia algumas pessoas que permaneciam fiéis a Cristo. Embora a igreja estivesse cheia, havia apenas uns poucos que eram crentes verdadeiros e que não haviam se contaminado com o mundo. A maioria dos crentes estava vivendo com vestes manchadas, e não tendo obras íntegras diante de Deus. As vestes sujas falam de pecado, de impureza, de mundanismo. Obras sem integridade falam de caráter distorcido, de motivações erradas, de ausência de santidade.

O agente do reavivamento

Jesus é o agente do reavivamento. Ele pode trazer reavivamento para igreja por três razões.

Em primeiro lugar, *porque Jesus conhece o estado da igreja* (Apocalipse 3:1). Jesus conhece as obras da igreja. Ele conhece nossa vida, nosso passado, nossos atos, nossas motivações. Seus olhos são como chama de fogo. Ele vê tudo e a tudo sonda.

Jesus vê que a igreja de Esmirna é pobre, mas, aos olhos de Deus, é rica. Ele vê que, na igreja apóstata de Tiatira, havia um remanescente fiel. Ele vê que a igreja que tem uma grande reputação de ser viva e avivada, como Sardes, está morta. Ele vê que uma igreja que tem pouca força, como Filadélfia, tem diante de si uma porta aberta. Ele vê que uma igreja que se considera rica e abastada, como Laodiceia, não passa de uma igreja pobre e miserável. Jesus sabe quem somos, como estamos e do que precisamos.

Em segundo lugar, *Jesus pode trazer reavivamento para a igreja, porque ele é o dono da igreja* (Apocalipse 3:1). Ele tem as sete estrelas. As estrelas são os anjos das sete igrejas. Elas representam as próprias igrejas. As estrelas estão nas mãos de Jesus. A igreja pertence a Jesus. Ele controla a igreja. Tem autoridade e poder para restaurar sua igreja. Disse que as portas do inferno não prevaleceriam contra sua igreja. Pode levantar a igreja das cinzas. Tem tudo em suas mãos. Cristo é o dono da igreja. Tem cuidado da igreja. Ele a exorta, a consola, a cura e a restaura.

Em terceiro lugar, *Jesus é quem reaviva a igreja por meio de seu Espírito* (Apocalipse 3:1). Jesus tem e oferece a plenitude do Espírito Santo à igreja. O problema da igreja de Sardes era morte espiritual; Cristo é o que tem o Espírito Santo, o único que pode dar vida. A igreja precisa passar por um avivamento ou enfrentará um sepultamento. Somente o sopro do Espírito pode trazer vida para um vale de ossos secos. O profeta Ezequiel fala sobre o vale de ossos secos. "Filho do homem, esses ossos poderão reviver? Respondi: SENHOR Deus, tu sabes" (Ezequiel 37:3).

Uma igreja morta, enferma e sonolenta precisa ser reavivada pelo Espírito Santo. Só o Espírito Santo pode dar vida e restaurar a vida. Só o sopro de Deus pode fazer com que o vale de ossos secos se transforme em um exército. Jesus é aquele que tem o Espírito e o derrama sobre sua igreja. É pelo poder do Espírito que a igreja se levanta da morte, do sono e do mundanismo para servir a Deus com entusiasmo.

Jesus é quem envia o Espírito à igreja para reavivá-la. O Espírito Santo é o Espírito de vida para uma igreja morta. Quando ele sopra, a igreja morta e moribunda levanta-se. Quando ele sopra nossa adoração formal, ela passa a ter vida exuberante. Quando ele sopra os crentes, eles têm deleite na oração. Quando ele sopra os crentes, eles são tomados por uma alegria indizível. Quando ele sopra os crentes, estes testemunham de Cristo com poder.

A Palavra diz que devemos orar no Espírito, pregar no Espírito, adorar no Espírito, viver no Espírito e andar no Espírito. Uma igreja inerte só pode ser reavivada por ele. Uma igreja sonolenta só pode ser despertada por ele. Oh! que sejamos crentes cheios do Espírito de Cristo. Uma coisa é possuir o Espírito, outra é ser possuído por ele. Uma coisa é ser habitado pelo Espírito, outra é ser cheio do Espírito. Uma coisa é ter o Espírito residente, outra é ter o Espírito presidente.

As bênçãos do reavivamento

A santidade, agora, é garantia de glória no futuro (Apocalipse 3:5). A maioria dos crentes de Sardes tinha contaminado suas vestiduras, isto é, eles tornaram-se impuros pelo pecado. O vencedor receberia vestes brancas, símbolo de festa, pureza, felicidade e vitória. Sem santidade, não há salvação. Sem santificação, ninguém verá a Deus. Sem vida com Deus aqui, não haverá vida com Deus no céu. Sem santidade na terra, não há glória no céu.

Quem não se envergonha de Cristo agora, terá seu nome proclamado no céu por Cristo (Apocalipse 3:5). Quando uma pessoa morre, tiramos o atestado de óbito. Tiramos o nome do livro dos vivos. Os nomes dos mortos não constam no registro dos vivos. O salvo jamais será tirado do rol do céu.

Aqueles que estão mortos espiritualmente e negam a Cristo nesta vida não têm seus nomes escritos no livro da vida. Mas aqueles que confessam a Cristo, e não se envergonham de seu nome, terão seus nomes confirmados no livro da vida e seus nomes confessados por Cristo diante do Pai. Os crentes fiéis confessam e são confessados.

Nosso nome pode constar do registro de uma igreja sem estar no registro de Deus. Ter apenas a reputação de estar vivo é insuficiente. Importa que nosso nome esteja no livro da vida a fim de que seja proclamado por Cristo no céu (Mateus 10:32).

capítulo 8

A mensagem de Jesus à igreja de Filadélfia (Apocalipse 3:7-13)

Filadélfia era a mais jovem das sete cidades. Fundada por colonos provenientes de Pérgamo, sob o reinado de Átalo II, nos anos de 159 a 138 a. C.[1] A cidade estava situada em um lugar estratégico, na principal rota do Correio Imperial de Roma para o Oriente. A cidade era chamada a porta do Oriente. Também era chamada de pequena Atenas, por ter muitos templos dedicados aos deuses. A cidade estava cercada de muitas oportunidades. John Stott comenta que era também chamada a cidade dos terremotos. Tremores de terra eram frequentes e tinham levado muitos antigos habitantes a deixar a cidade em

[1] Barclay, William. *Apocalipsis*, p. 148.

busca de lugar mais seguro. O violento terremoto que devastou Sardes no ano 17 d.C., quase destruiu completamente Filadélfia.[2]

Átalo amava tanto a seu irmão Eumenes que o apelidou de *philadelphos*, o que ama a seu irmão. Daí vem o nome da cidade.[3]

Para essa jovem igreja, Jesus envia essa carta e nos ensina várias lições.

Jesus não só conhece a igreja, ele também conhece a cidade onde a igreja está inserida

A mensagem de Jesus à igreja é contextualizada. Jesus conhecia a igreja e a cidade. Ele fazia uma leitura das Escrituras e também do povo. Sua mensagem era absolutamente pertinente e contextualizada. Ele falava uma linguagem que o povo podia entender. Criava pontes de comunicação.

Precisamos conhecer a Bíblia e conhecer a cidade onde estamos. Precisamos conhecer a mensagem e conhecer o povo para quem ministramos. Precisamos interpretar as Escrituras e a congregação da qual participamos. As estratégias que são boas para uma cidade podem não ser pertinentes para outra. Os métodos usados em um bairro podem não ser adequados para outro. Precisamos ousar mudar os métodos sem mudar o conteúdo do evangelho.

A cidade de Filadélfia fora fundada para ser uma porta aberta de divulgação da cultura e do idioma grego na

---

[2] Stott, John. *O que Cristo pensa da Igreja*, p:94.

[3] Wiersbe, Warren. *With the Word*, p. 848.

Ásia. John Stott afirma que o que a cidade tinha sido para a cultura grega era agora para o evangelho cristão.[4] Átalo criou a cidade para ser embaixadora da cultura helênica, missionária da filosofia grega,[5] mas Cristo diz para a igreja que ele colocou uma porta aberta diante da igreja para ela proclamar não a cultura grega, mas o evangelho da salvação. A razão por que a porta permanece aberta diante da igreja é que sua chave está na mão de Cristo.[6]

A cidade fora castigada por vários terremotos, e as pessoas viviam assustadas pela instabilidade. Existiam muitos terremotos e grandes tremores de terra na cidade de Filadélfia. Muitos viviam em tendas fora da cidade. Paredes rachadas e desabamentos eram coisas comuns na cidade. Era uma região perigosamente vulcânica. O terremoto do ano 17 d.C., que destruiu Sardes, também atingiu Filadélfia. Mas para a igreja assustada com os abalos sísmicos da cidade, Jesus diz: "Farei do vencedor uma coluna no templo do meu Deus, de onde jamais sairá" (Apocalipse 3:12).

A cidade fora batizada com um novo nome depois de sua reconstrução. Por volta do ano 90 d.C., com a ajuda imperial, Filadélfia tinha sido completamente reconstruída. Em gratidão, passaram o nome da cidade para Neocesareia – a nova cidade de César.[7] Mais tarde, no tempo de Vespasiano, a cidade voltou a trocar de nome, Flávia, pois Flávio era o apelido do imperador. Jesus, portanto, aproveita esse gancho cultural para falar à igreja que os

---

[4] Wiersbe, Warren. *With the Word*, p. 101.

[5] Barclay, William. *Apocalipsis*, p. 148.

[6] Stott, John. *O que Cristo pensa da Igreja*, p. 102.

[7] Barclay, William. *Apocalipsis*, p. 149.

vencedores teriam um novo nome: "Escreverei nele do meu Deus, o nome da cidade do meu Deus, a nova Jerusalém, que desce do céu da parte do meu Deus, e também o meu novo nome" (Apocalipse 3:12). A igreja terá nela o nome de Deus gravado, e não o nome de César.

Jesus não apenas conhece a igreja, mas apresenta-se como a solução para seus problemas

Para uma igreja perseguida pelos falsos mestres, Jesus se apresenta como o santo e o verdadeiro (Apocalipse 3:7). Jesus não apenas se apresenta como Deus, mas destaca que ele é separado, possui santidade absoluta em contraste com os que vivem em pecado. Cristo é santo em seu caráter, obras e propósitos. Ele não é a sombra da verdade, é sua essência. Ele é Deus confiável, real em contraste com os que mentem (Apocalipse 3:9). Ele não é uma cópia de Deus, é o Deus verdadeiro. Havia centenas de divindades naqueles dias, mas somente Jesus poderia reivindicar o título de verdadeiro Deus.

Ainda hoje há seitas que se consideram os únicos salvos e os únicos fiéis que servem a Deus e não ousam atacar os crentes. Mas esses mestres mentem. Com eles não está a verdade. Devemos olhar não para suas palavras insolentes, mas para o Senhor Jesus que é santo e verdadeiro.

Para uma igreja sem forças aos olhos do mundo, Jesus a parabeniza pela sua fidelidade (Apocalipse 3:8). A igreja tem pouca força, talvez por ser pequena; talvez por ser formada por crentes pobres e escravos; talvez por não ter influência política nem social na cidade, mas ela tem guardado a Palavra de Cristo e não tem negado seu nome.

A igreja era pequena em tamanho e em força, mas grande em poder e fidelidade. Deus, na verdade, escolhe as coisas fracas para envergonhar as fortes. Sardes tinha nome e fama, mas não vida. Filadélfia não tinha fama, mas tinha vida e poder. A igreja tinha pouca força, mas Jesus colocou diante dela uma porta aberta, que ninguém poderia fechar. A igreja é fraca, mas seu Deus é onipotente. Nossa força não vem de fora nem de dentro, mas do alto.

Para uma igreja perseguida e odiada pelo mundo, Jesus diz que ela é sua amada (Apocalipse 2:9). Os judeus diziam que os crentes não eram salvos, porque não eram descendentes de Abraão e, por isso, não tinham parte na herança de Deus. Mas Jesus diz que não é a igreja que se dobrará ao judaísmo, mas os judeus é que reconhecerão que Jesus é o Messias e, por essa razão, virão e reconhecerão que a igreja é o povo de Deus e verão que Jesus ama sua igreja. A igreja será honrada. Aqui Cristo está com ela. No céu, reinaremos com ele e nos assentaremos em tronos para julgarmos o mundo. Somos o povo amado de Deus, seu rebanho, sua vinha, sua noiva, sua delícia, a menina de seus olhos.

Para uma igreja que guardou a palavra de Cristo nas provações, Cristo promete guardá-la das provações que sobrevirão (Apocalipse 3:10). A igreja foi fiel a Cristo, e Cristo a guardará na tribulação. A igreja guardou a palavra, Cristo guardará a igreja. A igreja de Filadélfia não transigiu nem cedeu às pressões. Ela preferiu ser pequena e fiel a ser grande e mundana.

Hoje muitas igrejas têm abandonado o antigo evangelho por outro evangelho, mais palatável, mais popular, mais adocicado; um evangelho centrado no homem, não em Deus. Cristo, porém, é o protetor da igreja. As portas do inferno não prevalecerão contra ela. Ele é um muro de fogo a seu redor. Ela é o povo selado de Deus, e o maligno nem seus terríveis agentes podem tocar na igreja de Cristo. Ela está segura nas mãos do Senhor.

Jesus usa nessa carta três símbolos que regem toda a mensagem: uma porta aberta, a chave de Davi, uma coluna no santuário de Deus. É colocada diante da igreja uma porta aberta que ninguém pode fechar. Cristo é chamado como aquele que tem a chave de Davi, enquanto o vencedor é feito uma coluna no templo de Deus.

Jesus não apenas conhece as fraquezas da igreja, mas coloca diante dela uma grande oportunidade

A primeira porta aberta *é a oportunidade da salvação.* Jesus disse em João 10:9 que ele é a porta da salvação, da liberdade e da provisão. Ele também usou essa figura no sermão do monte: "Entrai pela porta estreita; larga é a porta, e espaçoso o caminho que conduz à perdição, e são muitos os que entram por ela; pois a porta é estreita, e o caminho que conduz à vida, apertado, e são poucos os que a encontram" (Mateus 7:13,14). Vemos aqui duas portas, e ambas estão abertas: uma abre sobre uma rua larga e cheia de gente que caminha para a destruição, o inferno. A outra porta abre-se para um caminho estreito e escassamente povoado que leva à vida eterna. Jesus contrasta dois caminhos, duas portas, dois destinos. Ambas as portas estão abertas e convidando as pessoas.

Para entrar na porta estreita, é preciso se curvar, não é possível levar bagagem e só pode passar um de cada vez.

A segunda porta aberta *é a oportunidade da evangelização*. As angústias da cidade são como que o grito de socorro dos homens, carentes do evangelho. Jesus fala de uma porta de oportunidade para se pregar o evangelho. Paulo via a idolatria da cidade de Atenas como uma porta aberta para falar do Deus desconhecido. Quando Paulo ficou três anos em Éfeso, pregando o reino, ele disse: "[...] porque me foi aberta uma porta grande e promissora" (1Coríntios 16:9). Quando estava preso em Roma, apesar de já ter resultados tão fantásticos, conforme o relato de Filipenses 1, ele pede à igreja: "[...] ao mesmo tempo orando também por nós, para que Deus nos abra uma porta para a palavra, a fim de anunciarmos o mistério de Cristo, pelo qual também estou preso, para que o revele como devo" (Colossenses 4:3,4).

A igreja da Filadélfia, segundo John Stott, tinha três problemas para aproveitar a oportunidade dessa porta aberta:[8]

Em primeiro lugar, *a igreja era muito fraca* (Apocalipse 3:8). Era uma congregação pequena, formada de crentes pobres e escravos, fazendo com que tivesse pouca influência sobre a cidade. Mas isso não devia detê-la no evangelismo.

Em segundo lugar, *havia oposição à igreja na cidade* (Apocalipse 3:9). Os judeus, chamados por Jesus, "sinagoga de Satanás", perseguiram a igreja. No começo, os crentes começaram a recuar, então Cristo disse para a igreja: coloquei diante de vocês uma porta aberta que ninguém pode fechar. Aqueles que hoje perseguem vocês,

---

[8] Stott, John. *O que Cristo pensa da Igreja*, p. 99-100.

virão e se prostrarão diante de vocês e saberão que os amei.

Em terceiro lugar, *a ameaça de futura tribulação* (Apocalipse 3:10). Seria aquele momento apropriado para evangelismo? Não seria um tempo para recolher-se e manter-se seguro, em vez de avançar? Cristo diz que não! Ele promete guardar a igreja e a encoraja a cruzar a porta aberta sem medo. Não basta ser uma igreja que guarda a Palavra (Apocalipse 3:8). É preciso proclamar a Palavra. Não basta não negar o nome de Cristo (Apocalipse 3:8). É preciso anunciá-lo. Não basta ser uma igreja ortodoxa, é preciso ser uma igreja missionária! Assim como a cidade tinha uma missão: ser a missionária da cultura grega, a igreja deveria ser a missionária do evangelho. A porta estava aberta. A porta está aberta, precisamos aproveitar as oportunidades enquanto é dia!

Jesus não apenas conhece as dificuldades da igreja, mas dá-lhe uma grande garantia

Em primeiro lugar, *Jesus tem em suas mãos toda autoridade*. Quem tem as chaves tem a autoridade. Jesus tem não apenas as chaves da morte e do inferno (Apocalipse 1:18), mas também a chave de Davi, a chave da salvação e da evangelização. Ninguém pode entrar até que Cristo tenha aberto a porta. Nem ninguém pode entrar quando ele a fecha. Se a porta é o símbolo da oportunidade da igreja, a chave é o símbolo da autoridade de Cristo.

Em segundo lugar, *Jesus tem em suas mãos a chave da salvação*. Ninguém senão Jesus pode abrir a porta da salvação. A chave está na mão de Cristo, e não na de Pedro.

Jesus na verdade disse a Pedro: "Eu te darei as chaves do reino do céu" (Mateus 16:19). E Pedro usou-as. Foi por meio de sua pregação que os primeiros judeus foram convertidos no Pentecostes (Atos 2). Foi imediatamente à imposição de suas mãos e das de João que o Espírito Santo foi dado aos primeiros crentes samaritanos (Atos 8). Foi através de seu ministério que Cornélio e sua casa, os primeiros gentios, foram salvos (Atos 10). Pedro, de fato, abriu o reino do céu para os primeiros judeus, os primeiros samaritanos e os primeiros gentios. Mas as chaves estão agora nas mãos de Jesus.

A porta da salvação foi e ainda está aberta. Todo aquele que se arrepende e crê pode entrar. Mas, um dia, essa porta será fechada. O próprio Cristo a fechará. Porque a chave que a abriu a fechará novamente. E quando ele a fechar ninguém poderá abri-la. Tanto a admissão como a exclusão estão unicamente em seu poder.

Em terceiro lugar, *Jesus tem a chave da evangelização*. Precisamos compreender a soberania de Cristo na realização de sua obra. Há portas abertas e portas fechadas. Quando ele abre, ninguém fecha; e quando ele fecha, ninguém abre. Ninguém pode deter a igreja quando ela entra pelas portas que o próprio Cristo abriu. Cristo tem as chaves e abre as portas. Tentar entrar quando as portas estão fechadas é insensatez. Deixar de entrar quando estão abertas é desobediência. A porta aberta é símbolo da oportunidade da igreja; e a chave, símbolo da autoridade de Cristo.[9]

---

[9] STOTT, John. *O que Cristo pensa da Igreja*, p. 103.

Jesus não apenas conhece a pobreza da igreja, mas promete a ela uma grande recompensa e uma gloriosa herança

Em primeiro lugar, *Jesus ordena a igreja a permanecer firme até a segunda vinda de Cristo* (Apocalipse 3:11). Jesus envia uma telegrama à igreja: "Venho sem demora!" (Apocalipse 3:11). Só mais um pouco e chegará o dia da recompensa. A herança que ele preparou para nós é gloriosa. Cristo virá em breve. Não precisamos de nada novo. Precisamos guardar o que temos. Precisamos proclamar o que já possuímos. A coroa aqui não é a salvação, mas o privilégio de aproveitarmos as oportunidades de Deus na proclamação do evangelho. Jesus disse para a igreja de Éfeso que, se ela não se arrependesse, ele removeria seu candelabro, e realmente o removeu!

Em segundo lugar, *Jesus garante que o vencedor será coluna no templo de Deus* (Apocalipse 3:12). Se nos tornarmos peregrinos nessa vida, seremos uma coluna inabalável na próxima. Aqui, os terremotos da vida podem nos abalar, mas, no céu, estaremos tão firmes e sólidos como a coluna do templo de Deus. Os crentes da Filadélfia podem viver com medo de terremotos, mas nada os abalará quando permanecerem como colunas no céu.[10]

Em terceiro lugar, *Jesus promete que o vencedor terá gravado em sua vida um novo nome* (Apocalipse 3:12). Esse novo nome terá o nome de Deus, da igreja, a nova Jerusalém, e o novo nome de Cristo. Pertenceremos para sempre a Deus, a Cristo e a seu povo. Viveremos com ele em glória.

---

[10] Stott, John. *O que Cristo pensa da Igreja*, p. 108.

A porta aberta representa a oportunidade da igreja. A chave de Davi, a autoridade de Cristo. E a coluna do templo de Deus, a segurança do vencedor. Cristo tem as chaves. Cristo abriu as portas. Cristo promete fazer-nos seguros como as sólidas colunas do templo de Deus. Quando ele abre as portas, devemos trabalhar. Quando ele fecha as portas, devemos esperar. Acima de tudo, devemos ser fiéis a ele para vermos as oportunidades, e não os obstáculos.

capítulo 9

A mensagem de Jesus à igreja de Laodiceia (Apocalipse 3:14-22)

De todas as cartas às igrejas da Ásia, esta é a mais severa. Jesus não faz nenhum elogio à igreja de Laodiceia. A única coisa boa em Laodiceia era a opinião da igreja sobre si mesma e, ainda assim, completamente falsa, diz Michael Wilcock.[1]

A cidade de Laodiceia foi fundada em 250 a.C., por Antíoco da Síria.[2] A cidade era importante pela sua localização. Ficava no meio das grandes rotas comerciais. Era uma cidade rica e opulenta. William Hendriksen diz que Laodiceia era o lar dos milionários. Na cidade havia teatros, um estádio e um ginásio equipado com banhos. Era a cidade de banqueiros e de transações comerciais.[3]

A igreja tinha a cara da cidade. Em vez de transformar a cidade, a igreja tinha se conformado a ela. Laodiceia era a cidade da

---

[1] Wilcock, Michael. *A Mensagem do Apocalipse*, p. 35.
[2] Barclay, William. *Apocalipsis*, p. 162.
[3] Hendriksen, William. *Mas que Vencedores*, p. 86.

transigência, e a igreja tornou-se também uma igreja transigente. Os crentes eram frouxos, sem entusiasmo, débeis de caráter, sempre prontos a se comprometer com o mundo, descuidados. Eles pensavam que todos eles eram pessoas boas. Eles estavam satisfeitos com sua vida espiritual. A igreja de Laodiceia é a igreja popular, satisfeita com sua prosperidade, orgulhosa de seus membros ricos. A religião deles era apenas uma simulação. George Ladd escreve:

> A carta não menciona perseguições por funcionários romanos, dificuldades com os judeus ou qualquer tipo de falsos mestres na igreja. Laodiceia era muito parecida com Sardes: um exemplo de cristianismo nominal e acomodado. A maior diferença é que, em Sardes, ainda havia um núcleo que tinha preservado a fé viva (3:4), enquanto que toda a igreja de Laodiceia estava tomada pela indiferença. Provavelmente muitos membros da igreja participavam ativamente da alta sociedade, e essa riqueza econômica exerceu uma influência mortal sobre a vida espiritual da igreja.[4]

A cidade de Laodiceia destacava-se por quatro características:

Em primeiro lugar, *era um centro bancário e financeiro*. Era uma das cidades mais ricas do mundo. Lugar de muitos milionários. Em 61 d.C., foi devastada por um terremoto e reconstruída sem aceitar ajuda do imperador. Os habitantes eram jactanciosos de sua riqueza. A cidade era tão rica que não sentia necessidade de Deus.

---

[4] Ladd, George. *Apocalipse*, p. 50.

Em segundo lugar, *era um centro de indústria de tecidos*. Em Laodiceia produzia-se uma lã especial famosa no mundo inteiro. A cidade estava orgulhosa da roupa que produzia.

Em terceiro lugar, *era um centro médico de importância*. Ali havia uma escola de medicina famosíssima. Fabricava-se ali dois unguentos quase milagrosos para os ouvidos e os olhos. O pó frígio para fabricar o colírio era o remédio mais importante produzido na cidade. Esse colírio era exportado para todas as centros populosos do mundo.[5]

Em quarto lugar, *era um centro das águas térmicas*. A região era formada por três cidades: Colossos, Hierápolis e Laodiceia. Em Colossos, ficavam as fontes de águas frias, e, em Hierápolis, havia fonte de água quente[6] que, em seu curso sobre o planalto, tornava-se morna e, nessa condição, fluía dos rochedos fronteiriços com a Laodiceia. Tanto as águas quentes de Hierápolis, como as águas frias de Colossos eram terapêuticas, mas as águas mornas de Laodiceia eram intragáveis.

O diagnóstico que Cristo faz da igreja

O Cristo que está no meio dos candelabros e anda no meio dos candelabros, sonda a igreja de Laodiceia e chega ao seguinte diagnóstico: a igreja tinha perdido seu vigor (Apocalipse 3:16,17), seus valores (Apocalipse 3:17,18), sua visão (Apocalipse 3:18b) e suas vestimentas

---

[5] Barclay, William. *Apocalipsis*, p. 164.

[6] Wiersbe, Warren. *The Bible Expository Commentary*, p. 579.

(Apocalipse 3:17-22). A vida religiosa da igreja de Laodiceia era frouxa e anêmica. Era como uma catarata morna. Parecia que eles tinham tomado um banho morno de religião.[7] Vejamos o diagnóstico de Cristo.

Em primeiro lugar, *Jesus identificou a falta de fervor espiritual da igreja* (Apocalipse 3:15). Na vida cristã, há três temperaturas espirituais: 1) um coração ardente (Lucas 24:32); 2); um coração frio (Mateus 24:12); e 3) um coração morno (3:16). Jesus e Satanás conhecem a maré espiritual baixa da igreja. Nada se informa sobre tentação, perseguição, negação, apostasia ou abalos nessa igreja.

O problema da igreja de Laodiceia não era teológico nem moral. Não havia falsos mestres, nem heresias. Não havia pecado de imoralidade nem engano. Na carta, não há menção de hereges, de malfeitores nem de perseguidores. O que faltava à igreja era fervor espiritual. A vida espiritual da igreja era morna, indefinível, apática, indiferente e nauseante. A igreja era acomodada. O problema da igreja não era heresia, mas apatia.

Nosso fogo espiritual íntimo está em constante perigo de enfraquecer ou morrer. O braseiro deve ser cutucado, alimentado e soprado até incendiar. Muitos fogem do fervor com medo do fanatismo. Mas fervor não é o mesmo que fanatismo. Fanatismo é um fervor irracional e estúpido. É um entrechoque do coração com a mente.[8] Jonathan Edwards disse que precisamos ter luz na mente e fogo no coração. A verdade de Deus é lógica em fogo.[9]

---

[7] Stott, John. *O que Cristo pensa da Igreja,* p. 114.

[8] Stott, John. *O que Cristo pensa da Igreja,* p. 115.

[9] Lloyd-Jones, Martyn. *Preating & Preachers.* Grand Rapids, Michigan: Zondervan Publishing House, 1971, p. 97.

Muitos crentes têm medo do entusiasmo. Mas entusiasmo é a parte essencial do cristianismo. Não podemos ter medo das emoções, e sim do emocionalismo.

Em segundo lugar, *Jesus identificou que um crente morno é pior do que um incrédulo frio* (Apocalipse 3:15,16). Fritz Rienecker diz que o contraste aqui é entre as águas quentes medicinais de Hierápolis e as águas frias e puras de Colossos. Dessa forma, a igreja em Laodiceia não estava oferecendo nem refrigério para o cansaço espiritual nem cura para o doente espiritual. Era totalmente ineficaz e, assim, desagradável ao Senhor.[10] É melhor ser frígido do que tépido ou morno.[11] É mais honroso ser um ateu declarado do que ser um membro incrédulo de uma igreja evangélica, diz Arthur Blomfield.[12] Charles Erdman diz que a religião tépida provoca náuseas.[13] A queixa de Jesus contra os fariseus era contra a hipocrisia deles. Alguém que nunca fez profissão de fé e tem a consciência de sua completa falta de vida moral é muito mais fácil de ser ajudado que algum outro que se julga cristão, mas não tem a verdadeira vida espiritual. A indiferença espiritual é pior do que a frieza.

Uma pessoa morna é aquela em que há um contraste entre o que diz e o que pensa ser, de um lado, e o que ela realmente é, de outro lado. Ser morno é ser cego a sua verdadeira condição.[14]

Em terceiro lugar, *Jesus identificou que a autoconfiança da igreja era absolutamente falsa* (Apocalipse

---

[10] Rienecker, Fritz e Rogers, Cleon. *Chave Linguística do Novo Testamento*, p. 611.
[11] Stott, John. *O que Cristo pensa da Igreja*, p. 116.
[12] Blomfield, Arthur E. *As Profecias do Apocalipse*, p. 86.
[13] Erdman, Charles R. *Apocalipse*. 1960, p. 50.
[14] Stott, John. *O que Cristo pensa da Igreja*, p. 116.

3:17). O autoengano é uma grande tragédia. Laodiceia considerava-se rica, mas era pobre. Sardes se considerava viva, mas estava morta. Esmirna se considerava pobre, mas era rica. Filadélfia tinha pouca força, mas Jesus colocara diante dela uma porta aberta. O fariseu, equivocadamente, deu graças por não ser como os demais homens. Muitos, no dia do juízo, estarão enganados (Mateus 7:21-23). A igreja era morna devido à ilusão que alimentava a respeito de si mesma.

A autossatisfação também é uma grande tragédia. A igreja de Laodiceia disse: "E nada me falta". A igreja de Laodiceia era morna em seu amor a Cristo, mas amava o dinheiro. O amor ao dinheiro traz uma falsa segurança e uma falsa autossatisfação. A igreja não tinha consciência de sua condição.

A igreja de Laodiceia enfrentou a tragédia de não ser o que se projetou ser e ser o que nunca se imaginou ser (Apocalipse 3:17c). Ela estava orgulhosa de seu ouro, roupas e colírio. Mas era pobre, nua e cega. A congregação de Laodiceia fervilhava de frequentadores presunçosos. Eles diziam: "Sou rico, tenho prosperado, e nada me falta". Os crentes eram ricos. Frequentavam as altas rodas da sociedade. Eram influentes na cidade. John Stott afirma que os cidadãos de Laodiceia eram tão opulentos que, quando o terremoto de 60 d.C., devastou toda a região, a cidade foi prontamente reconstruída sem qualquer apelo ao senado romano para o costumeiro subsídio.[15] A cidade era um poderoso centro médico, bancário e comercial. O orgulho de Laodiceia era contagioso. Os cristãos contraíram a epidemia da soberba. O espírito de complacência insinuou-se na igreja e corrompeu-a. Os

---

[15] Stott, John. *O que Cristo pensa da Igreja*, p. 117-118.

membros da igreja tornaram-se convencidos e vaidosos. Eles achavam que estavam indo maravilhosamente bem em sua vida religiosa. Mas Cristo teve de acusá-los de cegos, miseráveis e nus. Miseráveis apesar de seus bancos, cegos apesar de seus pós frígios e nus apesar de suas fábricas de tecidos. São miseráveis porque não têm como comprar o perdão de seus pecados. São nus porque não têm roupas adequadas para se apresentarem diante de Deus. São cegos porque não conseguem enxergar sua pobreza espiritual.

Em quarto lugar, *Jesus revelou que um crente morno em vez de ser seu prazer, provoca-lhe náuseas* (Apocalipse 3:16). Você só vomita, o que ingeriu. Só joga fora o que está dentro. A igreja de Laodiceia era de Cristo, mas, em vez de dar alegria a Cristo, estava provocando náuseas nele. Uma religião morna provoca náuseas. Jesus tinha muito mais esperança nos publicanos e pecadores do que nos orgulhosos fariseus. Fomos salvos para nos deleitarmos em Deus e sermos a delícia de Deus. Somos filhos de Deus, herdeiros de Deus, a herança de Deus, a menina dos olhos de Deus, a delícia de Deus. Mas, quando perdemos nossa paixão, nosso fervor, nosso entusiasmo, provocamos dor em nosso Senhor, náuseas em nosso Salvador.

Cristo repudiará totalmente aqueles, cuja ligação com ele é puramente nominal e superficial. A igreja de Laodiceia desapareceu. Da cidade, só restam ruínas. A igreja perdeu o tempo de sua oportunidade.

O apelo que Cristo faz à igreja

Em primeiro lugar, *Cristo se apresenta à igreja como um mercador espiritual* (Apocalipse 3:18). Cristo prefere dar conselhos, em vez de ordens. Sendo soberano do céu e da terra, Criador do universo, tendo incontáveis galáxias de estrelas na ponta dos dedos, tendo o direito de emitir ordens para que lhe obedeçamos, prefere dar conselhos. Ele poderia ordenar, mas prefere aconselhar.

A suficiência está em Cristo. A igreja julgava-se autossuficiente, mas os crentes deveriam encontrar sua suficiência em Cristo. "Eu te aconselho que compres de mim [...]".

Cristo apresenta-se como um mascate espiritual. Ele apresenta-se à igreja como um mercador, um mascate e um camelô espiritual.[16] Seus produtos são essenciais. Seu preço é de graça. Há notícias gloriosas para os miseráveis cegos e nus. Eles são pobres, mas Cristo tem ouro. Eles estão nus, mas Cristo tem roupas. Eles são cegos, mas Cristo tem colírio para seus olhos. Cristo exorta a igreja a adquirir ouro para sua pobreza, vestimentas brancas para sua nudez e colírio para sua cegueira.

As preciosas mercadorias que Cristo oferece são vitais para a vida. O ouro que Cristo tem é o reino do céu. A roupa que Cristo oferece são as vestes da justiça e da santidade. O colírio que Cristo tem abre os olhos para o discernimento. Cristo está conclamando os crentes a não confiarem em seus bancos, em suas fábricas e em sua medicina. Ele os chama a ele mesmo. Só Cristo pode enriquecer nossa pobreza, vestir nossa nudez e curar nossa cegueira.

Em segundo lugar, *Cristo chama a igreja a uma mudança de vida* (Apocalipse 3:19). Vemos aqui uma explanação e uma exortação: "Eu repreendo e castigo a todos quantos amo: sê pois zeloso e arrepende-te" (Apocalipse

---

[16] STOTT, John. *O que Cristo pensa da Igreja*, p. 120.

3:19). Desgosto e amor andam juntos. Cristo não desiste da igreja. Apesar de sua condição, ele a ama. Antes de revelar seu juízo (vomitar de sua boca) ele demonstra sua misericórdia (repreendo e castigo, ou disciplino, aqueles que amo).

Disciplina é um ato de amor. A pedra precisa ser lapidada para brilhar. A uva precisa ser prensada para produzir vinho. Inegavelmente é porque anseia salvá-los do juízo final que os repreende e disciplina. A base da disciplina é o amor. Porque ele ama, disciplina. Porque ama, chama ao arrependimento. Porque ama, dá-nos oportunidade de recomeçar. Porque ama, está disposto a perdoar-nos.

Arrepender-se é dar as costas a esse cristianismo de aparências, de faz de conta, de mornidão. A piedade superficial nunca salvou ninguém. Não haverá hipócritas no céu.[17] Devemos vomitar essas coisas de nossa boca, do contrário, ele nos vomitará. Devemos trocar os anos de mornidão pelos anos de zelo.

Em terceiro lugar, *Cristo convida a igreja para a ceia, uma profunda comunhão com ele* (Apocalipse 3:20). Há aqui uma triste situação: Cristo, o Senhor da igreja, está do lado de fora. A igreja não tem comunhão com ele.

Cristo faz um apelo pessoal. A salvação é uma questão totalmente pessoal. Enquanto muitos batiam a porta no rosto de Jesus, outros são convidados por ele. Cristo vem visitar-nos. Coloca-se em frente da porta de nosso coração. Ele bate. Ele deseja entrar. É uma visita do Amado de nossa alma.

Cristo mostra a necessidade de uma decisão pessoal: “Estou à porta e bato; se alguém ouvir a minha voz e

---

[17] Stott, John. *O que Cristo pensa da Igreja*, p. 121.

abrir a porta, entrarei [...]" (Apocalipse 3:20). Jesus bate em meio às circunstâncias e chama por intermédio de sua Palavra.[18] Embora Cristo tenha todas as chaves, ele prefere bater à porta.

Cristo revela sua insistência. Diz ele: "Estou à porta e bato" (Apocalipse 3:20). De que maneira ele bate? Por intermédio das Escrituras, de um sermão, de um hino, de um acidente, de uma doença. É preciso ouvir a voz de Jesus.

O convite é para um relacionamento pessoal com Cristo. É um convite para cear. Que ele nos convide a vir e cear com ele é demasiada honra; mas que ele deseje participar de nossa humilde mesa e cear conosco é tão admirável que ultrapassa nossa compreensão finita.[19] O hóspede transforma-se em anfitrião.[20] Não somos dignos de que ele fique embaixo de nosso teto, e ele ainda vem sentar-se à nossa mesa? Somos convidados para o banquete do casamento do Cordeiro.

A promessa que Cristo faz à igreja

A primeira coisa que temos que observar *é que Jesus tem competência para fazer a promessa* (Apocalipse 3:14). Ele é o amém e a testemunha fiel e verdadeira. Para uma igreja marcada pelo ceticismo, incredulidade e tolerância, Jesus se apresenta como o amém. Ele é a verdade, e fala a verdade, e dá testemunho da verdade. Adolf Pohl corretamente afirma: "Deus não apenas jura, ele próprio é um juramento. Entre ele e sua palavra simplesmente

---

[18] WIERSBE, Warren. *The Bible Expository Commentary*, p. 581.
[19] STOTT, John. *O que Cristo pensa da Igreja*, p. 122.
[20] POHL, Adolf. *Apocalipse de João*, p. 142.

não se pode meter nenhuma cunha, porque nele não existe um *entre*".[21]

Seu diagnóstico da igreja é verdadeiro. Seu apelo à igreja deve ser levado a sério. Suas promessas à igreja são confiáveis. Em face da vida morna e indiferente da igreja, Jesus é a verdade absoluta que tudo vê, tudo sonda, tudo conhece.

Ele cumpre o que diz. Nunca é inconstante. É absolutamente consistente. Para uma igreja morna, inconstante, Cristo se apresenta como aquele que é preciso e confiável.

A segunda coisa que temos que notar *é que Jesus tem autoridade para tornar a promessa realidade* (Apocalipse 3:14). Cristo é o princípio da criação de Deus. Em face da vida caótica da igreja, Jesus é aquele que é a origem da criação. Como ele deu ordem ao caos do universo, ele pode arrancar a igreja do caos espiritual.

A terceira coisa digna de nota *é que Jesus tem poder para conduzir os vencedores a seu trono de glória* (Apocalipse 3:21,22). Cada uma das sete cartas terminou com uma promessa aos vencedores. Esses vencedores, diz Warren Wiersbe, não são um grupo de elite dentro da igreja, mas os verdadeiros crentes que confiaram em Cristo.[22] Quando Cristo entra em nossa casa, recebemos a riqueza do reino. Recebemos as vestes brancas da justiça. Nossos olhos são abertos. Temos a alegria da comunhão com o Filho de Deus. Mas temos, também, a promessa que excede em glória a todas as outras promessas ao vencedor. Reinaremos com ele. Assentaremos em tronos com ele. Um trono é símbolo de conquista e autoridade. A co-

---

[21] Pohl, Adolf. *Apocalipse de João*, p:137.

[22] Wiersbe, Warren. *With the Word*, p. 849.

munhão da mesa secreta é transformada em comunhão pública do trono. Como Cristo participa do trono do Pai, também participaremos do trono de Cristo. Quando abrimos a porta para Cristo entrar em nossa casa, recebemos a promessa de entrar na casa do Pai. Quando recebemos Cristo à nossa mesa, recebemos a promessa de sentarmos com ele em seu trono.

Sua opinião é importante para nós.
Por gentileza, envie-nos seus comentários pelo e-mail:

editorial@hagnos.com.br

Visite nosso site:

www.hagnos.com.br